PORZELLANMARKEN

PORZELLAN-MARKEN

AUS ALLER WELT

TEXT VON

EMANUEL POCHE

VERLAG
WERNER DAUSIEN

3. Auflage 1978
PORZELLANMARKEN
Text von Emanuel Poche
Aus dem Tschechischen übersetzt
von Helena Krausová
Grafische Gestaltung von Aleš Krejča
© 1975 Artia Verlag, Praha

VERLAG WERNER DAUSIEN HANAU / M.
ISBN 3-7684-1489-2
2/10/01/03/52

VORWORT

Dieses Buch soll vor allem ein übersichtliches Nachschlagewerk für jeden sein, der sich mit Porzellan befaßt. Im Gegensatz zu anderen Porzellankompendien, die die Erzeugnisse aus Porzellan behandeln, ist dieses Handbuch ausschließlich den Marken des Porzellans gewidmet. Es ist nach dem optischen Bild der Marken, d. h. nach ihren Bildsymbolen oder nach ihren in Buchstaben oder Worten ausgedrückten Angaben, zusammengestellt.

Der Text, der die Abbildungen der Marken begleitet, enthält Angaben über den Sitz der entsprechenden Porzellanerzeugung, den Namen des Herstellers, die Zeit, in der die Marke verwendet wurde, und die Technik ihrer Ausführung. Marken von Künstlern, Modelleuren oder Porzellanmalern werden hier nicht angeführt, und zwar keineswegs deshalb, weil wir derartige Angaben unterschätzen würden, sondern nur darum, weil sich dadurch der Umfang dieses Handbuchs allzu sehr vergrößern würde und damit der Rahmen eines übersichtlichen Nachschlagebuches überschritten wäre. Im übrigen kann man diese Marken, die bisher nur zum Teil erforscht sind, in der speziellen Fachliteratur aufgrund der lokalen und zeitbestimmenden Erzeugermarken feststellen, die primär und für die Bestimmung des Ursprungs von ausschlaggebender Bedeutung sind. Hier führen wir diese Künstlerzeichen nur in vereinzelten Fällen an, wenn sie zu einer genaueren Bestimmung des Erzeugnisses beitragen.

Wir waren bemüht, so viele Marken von Porzellan aller Zeiten als nur möglich in dieses Handbuch aufzunehmen. Viele Varianten von Marken aus einer Fabrik, die einander, zum Beispiel durch die verschiedene Schreibart desselben Buchstaben, ähneln, mußten ausgelassen werden, wenn sie nicht auf Unterschiede der Erzeugungsperiode hindeuteten. Hingegen wurden in dieses Handbuch Marken englischen Porzellans aufgenommen, auch wenn es sich in manchen Fällen um porzellanähnliches Steingut handelt. Der Eigentümer keramischer Erzeugnisse, der kein Fachmann auf diesem Gebiet ist, hat oft Schwierigkeiten, Hartporzellan, pâte tendre oder Steingut auseinanderzuhalten, denn Formen und auch Verzierungen sind hier oft sehr ähnlich. Durch die Feststellung der Herkunft eines Erzeugnisses mit Hilfe dieses Handbuchs lassen sich derartige Materialprobleme klären.

Dieses Buch schöpft aus den persönlichen Erfahrungen des Autors, die er während seiner langjährigen Tätigkeit im Kunstgewerbemuseum in Prag bei der Anlage der dortigen Porzellansammlung — einer der größten Museumssammlungen historischen Porzellans in Mitteleuropa — gesammelt hat. Es war daher sein Bestreben, aufgrund eigener Erkenntnisse, die sich mit den Erfahrungen bekannter Wissenschaftler auf dem Gebiet der keramischen Erzeugnisse decken, ein Handbuch zu schaffen, das, wie wir hoffen, seinen Zweck voll und ganz erfüllen wird.

Emanuel Poche

DAS MARKIEREN
DES PORZELLANS

Die Porzellanmarken sind zwar nicht so alt wie die eigentliche Porzellanerzeugung, ihre Entstehung und Anwendung geht jedoch nichtsdestoweniger bis ins frühe Mittelalter zurück. Sowohl die erste Porzellanherstellung als auch die ersten Porzellanmarken haben ihren Ursprung im alten China. Das ursprüngliche Zentrum der Porzellanerzeugung waren bereits im 11. Jahrhundert die kaiserlichen Manufakturen in der Provinz Kiang-Si, die ältesten Porzellanmarken, die erhalten geblieben sind, stammen jedoch erst aus der Zeit des Kaisers Hung-wu aus der Ming-Dynastie (1368—1398). Im Hinblick auf das Ansehen, dessen sich das Porzellan seiner technischen und ästhetischen Qualitäten wegen auf der ganzen Welt erfreute, und auf den ausgeprägten Absolutismus der chinesischen Staatsform mit dem Recht des Kaisers, nach eigenem Ermessen über die gesamte Produktion des Landes zu verfügen, erhielt sich sehr lange der Brauch, die chinesischen Porzellanerzeugnisse vor allem mit dem Namen der jeweiligen Herrscher zu bezeichnen. Diese Marken, die nien-hao genannt werden, bestehen in fast allen Fällen aus sechs, nur ausnahmsweise aus vier Schriftzeichen.

Diese Zeichen sind in zwei senkrechten Spalten angeordnet, die von oben nach unten, beginnend mit der rechten Spalte, gelesen werden. Die beiden ersten Zeichen bezeichnen die Dynastie, und zwar bis zum Jahr 1643 die Dynastie Ming, und nachher, von 1644 bis 1912, die Dynastie Ch'ing. Das dritte Zeichen bedeutet den Zunamen des jeweiligen Herrschers, dessen weiterer Name im ersten Zeichen der linken Spalte zu finden ist. Das weitere Zeichen der linken Spalte steht für den Begriff Dynastie und das letzte Zeichen ist das Wort „angefertigt" oder „hergestellt".

Manchmal sind die Zeichen auch waagerecht angeordnet, wobei die Bezeichnung der Dynastie fehlt, und die Zeichen von rechts nach links gelesen werden müssen. Die älteren Marken sind handgemalt, und zwar mit Kobalt unter der Glasur, seit dem Beginn der Regierung Ch'ing kommen jedoch auch Abdrücke von Siegelstöcken vor, wobei die Schrift dicht in ein Quadrat zusammengedrängt und in ihrer Form stilisiert ist. Die Reihenfolge und Bedeutung der einzelnen Schriftzeichen ist jedoch auch hier unverändert.

Zum Unterschied von den späteren Marken der europäischen Porzellanerzeugung kann man sich beim chinesischen Porzellan keineswegs auf eine zeitliche Übereinstimmung des Erzeugnisses mit der Marke des jeweiligen Herrschers verlassen. Im Zusammenhang mit der ständig steigenden Massenproduktion des chinesischen Porzellans, insbesondere der vor allem für den Export bestimmten Erzeugung seit dem Regierungsantritt der Mandschu-Dynastie Ch'ing, hatten die chinesischen Produzenten aus ökonomischen Gründen keine Bedenken, die Marken längst verschiedener Herrscher und zurückliegende Zeitangaben zu benützen, um neueren Erzeugnissen den Stempel der Antiquität und des Seltenheitswerts aufzudrücken. Sie wandten in solchen Fällen sogar auch alte Schriftformen an. Um einen derartigen Mißbrauch von Marken enthüllen zu können, muß man über große Erfahrungen und Kenntnisse auf dem Gebiet der dekorativen Motive und der Farbskala der Porzellanmalerei verfügen. Dies ist jedoch das Privileg nur weniger Spezialfachleute, und so bleibt es bei der überwiegenden Mehrheit des chinesischen Porzellans aus der Periode der Ming-Dynastie problematisch, ob es sich tatsächlich um Originale handelt. In den meisten Fällen sind es Nachahmungen aus dem 18. und 19. Jahrhundert, ja manchmal sogar fremde — japanische oder europäische —, mit einer chinesischen Marke versehene Erzeugnisse.

Ähnliche Erscheinungen findet man auch bei den Marken japanischen Porzellans. Die Japaner gaben jedoch die Nachahmung der Marken durch ein besonderes Zeichen in solchen Marken offen zu.

Außer den Regierungsmarken der Kaiser findet man auf

chinesischem Porzellan auch Marken, die auf eine bestimmte Herstellungszeit im Rahmen von Sechzigjahrezyklen hinweisen, die für die Chinesen etwa dasselbe bedeuten, wie für den Europäer der Begriff Jahrhundert. Die Sechzigjahrezyklen beginnen mit dem Jahr 2637 v.u.Z. Da jedoch in den meisten Fällen eine genaue Angabe, um welche dieser Perioden es sich handelt, fehlt, kann man die Herstellungszeit lediglich nach dem Charakter des Erzeugnisses abschätzen und muß sie meistens in den mit dem 17. Jahrhundert beginnenden Sechzigjahrezyklen suchen. Die Zeichen des Sechzigjahrezyklus bestehen immer aus zwei nebeneinanderstehenden Schriftzeichen und sind in die Gesamtmarke des Erzeugnisses eingeordnet.

Zu Schwierigkeiten in der Bestimmung des Entstehens tragen auch die sogenannten Ortsmarken bei. Diese Marken bestimmen jedoch nicht den Erzeugungsort und sind meistens auch gar nicht eindeutig. Gelegentlich handelt es sich tatsächlich um Marken eines nicht näher bestimmten Erzeugungsorts, manchmal bezeichnen sie jedoch ein Lager, eine Verteilungsstelle oder auch den Namen eines Porzellanhändlers, den Empfänger des Erzeugnisses, die Ausstattung einer vornehmen Residenz u. ä. Hier herrscht die den damaligen Chinesen verständliche Poesie vor, die jedoch für kunsthistorische Erwägungen bedeutungslos ist.

Ohne Bedeutung für den Kunsthistoriker sind auch die sogenannten Widmungsmarken, die Namen von heute nicht mehr identifizierbaren Persönlichkeiten enthalten. Wertvoller sind in dieser Hinsicht Reklamemarken, die ein Erzeugnis unter Anwendung verschiedener poetischer, inhaltlich übertriebener Bezeichnungen empfehlen und die oft Hinweise auf die Datierung des Erzeugnisses enthalten. Aufschlußreich, aber leider nur selten, sind Zeichen von Künstlern, den Schöpfern oder Dekorateuren der Porzellanerzeugnisse. Es sind zwar heute nichtssagende Namen, die diesbezüglichen Marken enthalten jedoch manchmal richtige Zeitangaben.

Als eine weitere Markenkategorie kommen auf chinesischem Porzellan in verschiedenen Fällen auch symbolische Marken vor. Es sind dies meistens die acht buddhistischen Symbole, die acht weltlichen Kostbarkeiten u. ä. Die chinesischen Porzellanmarken spiegeln, wenn auch indirekt, die Gesellschaftsordnung des feudalen China wider, die Kompliziertheit des chinesischen Geistes und vor allem die Bewunderung, die die Chinesen dem Porzellan als einem Produkt ihrer Heimat entgegenbrachten. In Europa wurde das ostasiatische Porzellan seit dem 14. Jahrhundert (seit Marco Polos Reisebericht) bis zur Erfindung des europäischen Porzellans zu Beginn des 18. Jahrhunderts als Kostbarkeit gewertet, die nur der Schätze der Kathedralen oder der Mächtigen dieser Welt würdig war.

Einen anderen Charakter weisen die Marken der Erzeugnisse des zweiten großen Produktionsgebiets der ostasiatischen Porzellanindustrie, des japanischen Porzellans, auf. Die Japaner hatten bereits zu Beginn des 16. Jahrhunderts das Geheimnis der Porzellanmasse mit dem Kaolin als ihrem Hauptbestandteil enthüllt, was den Europäern bis zu Böttgers Erfindung im ersten Jahrzehnt des 18. Jahrhunderts verborgen geblieben war. Zusammen mit der Ausnützung der Kenntnisse und Erfahrungen des chinesischen Erfindungsgeists auf dem Gebiet der Keramik übernahmen die Japaner auch den chinesischen Brauch, graphisch, meistens sogar mit chinesischen Schriftzeichen, den Ursprung der Erzeugnisse (Zeit, Ort und manchmal auch den Autor) zu bezeichnen. In dieser Hinsicht sind sie konkreter als die Chinesen, denn ihre Marken sind nicht so kompliziert und gleichnishaft. Von den Chinesen übernahmen sie im Jahr 645 u. Z. auch das System nien-hao (japanisch Nengo), die namentliche Bezeichnung einzelner Zeitabschnitte, die jedoch hier verschieden lang sind. Im Rahmen dieser Zeitabschnitte werden Jahreszahlen der Erzeugung festgestellt, was jedoch im Hinblick auf die Tatsache, daß die Japaner bis zum Jahr 1873 den Gregorianischen Kalender nicht kannten, nicht einfach ist und besondere Tabellen erfordert. Außerdem galt auch in Japan seit dem Jahr 2637 v.u.Z. der Sechzigjahrezyklus, aber die Folge dieser Zyklen ist auch hier meistens nicht entsprechend angeführt. Die einzelnen Erzeugungsjahre werden im Rahmen dieser Zyklen angegeben. Mit Rücksicht auf den feststehenden Umfang dieses Buchs ist es unmöglich, sich ausführlicher mit diesen Marken zu befassen. Wir beschränken uns deshalb auf die Anführung solcher Marken, die einen konkreten Inhalt haben, d. h. auf solche, die den Erzeugungsort, eventuell auch den Autor, und eine klare Zeitangabe enthalten. Auf derartige Angaben legten die Japaner einen viel größeren Wert als die Chinesen. Die Produktion war hier nicht so stark monopolisiert, und der Unternehmergeist hatte in Japan viel breitere Möglichkeiten. Im Rahmen des ,,Großen Japan'', wie in den Marken oft zu lesen ist, befaßte sich mit der Porzellanerzeugung eine Reihe von Werkstätten, die in fast allen Provinzen des Reichs, vor allem jedoch in den Provinzen Hizen, Kaga und Yamashiro, zu finden waren.

Produktionszentren waren hier die Städte Arita, Kutani und Kyoto, deren Porzellanmanufakturen einen speziellen Erzeugungsstil schufen. Ihre Blütezeit waren das 18. und 19. Jahrhundert, die Zeit des starken Exports nach Europa. Die Ausfuhrbemühungen führten oft auch zur Vortäuschung des Alters der Erzeugnisse oder zu Nachahmungen des Stils bekannter Porzellandekorateure. Das durch starke Farbkontraste charakterisierte japanische Porzellan (einerseits durch die Buntheit der Farben und Vergoldung des gemalten Blumendekors, andererseits durch eine dezente Zeichnung von Bambusstengeln und zarten Blättern) ist mehr um optische Effekte als um Werte der bildenden Kunst bemüht, wie sie bei den Chinesen im Vordergrund stehen. Die Japaner sind findiger im effektvollen Dekor und in der Technologie der Verzierungen (email cloisonné).

In Europa trat die Markierung von Porzellanerzeugnissen fast gleichzeitig mit der Feststellung, daß das Kaolin die chemikalische Grundlage des Porzellans bildet, in Erscheinung, dies vorerst in Sachsen zu Beginn des 18. Jahrhunderts. Aber bereits vorher ließen die feudalen Unternehmer, die sich um die Enthüllung des Geheimnisses des Porzellans bemühten (z. B. in Florenz oder in Frankreich), die Ergebnisse ihrer Versuche nach dem Muster der Fayenceerzeugung mit bestimmten Marken versehen (Medici-Porzellan, Porzellan aus Saint-Cloud u. ä.). Dies waren jedoch nur vorübergehende Erscheinungen. Maßgebend war hier eher das Bestreben, einen gewissen Produktionsfortschritt und ein neues Stadium auf dem Gebiet der keramischen Industrie zu proklamieren, als die Notwendigkeit, die erzielten Ergebnisse vor Nachahmungen und der Konkurrenz auf dem internationalen Markt zu schützen. Diese Notwendigkeit trat erst dann ein, als die Erfindung des europäischen Porzellans durch den, in den Diensten des sächsischen Kurfürsten August des Starken stehenden Alchimisten Johann Friedrich Böttger zum sächsischen Staatsmonopol wurde, und die Herrscher der umliegenden Länder bemüht waren, dem sächsischen Beispiel zu folgen. Vorläufer einer solchen Markierung von Porzellanerzeugnissen am sächsischen Hof waren, beginnend mit dem Jahr 1721, Buchstaben und Zahlen an der Unterseite der einzelnen Stücke, die mehr oder weniger lediglich zu Evidenzzwecken dienten. Außerdem wurden mit unterschiedlichen eingeritzten oder gemalten geometrischen Zeichen verschiedene Arten orientalischen Porzellans gezeichnet, mit dem der sogenannte Japanische Palast in Dresden geschmückt war. Das weiße Böttgersche Porzellan wurde vorerst gar nicht markiert, und erst später erscheinen auf diesen Erzeugnissen die Buchstaben AR. In den Jahren 1721—1722 wurden zur Bezeichnung des Meißner Porzellans durchweg bereits Marken verwendet. Vorerst hatten sie die Form eines Merkur- oder Äskulapstabs, der etwa zehn Jahre lang, insbesondere zur Bezeichnung von Exportware, verwendet wurde. Aus dem Jahr 1723 ist zum erstenmal eine weitere, ebenfalls nur zeitweilige Manufakturmarke, die sogenannte „Drachenmarke", bekannt. Neben diesen, im Hinblick auf den Erzeugungsort mehr oder minder neutralen Marken kommen im Jahr 1722 bereits konkrete, auf den Herstellungsort hinweisende Marken in Anwendung, und zwar die Buchstaben MPM (Meißner Porzellanmanufaktur) oder KPM (Königliche Porzellanmanufaktur) — dies jedoch nur auf den Krügen und Zuckerdosen. Ein Jahr später tritt die noch heute verwendete und weltbekannte Marke der gekreuzten Schwerter (als Teil des sächsischen Wappens) auf die Szene, vorerst kombiniert mit der Bezeichnung KPM. Im Jahr 1724 machen sich die gekreuzten Schwerter selbständig und sind bis heute die ausschließliche Marke der Meißner Porzellanerzeugung. Offiziell und amtlich wurden sie jedoch erst im Jahr 1731 eingeführt. Die Marke war vorerst eingepreßt, später wurde sie — und so blieb es bis in die heutige Zeit — mit Kobalt unter die Glasur gemalt, wobei es im Verlauf der Jahrhunderte zu Verschiedenheiten in der Zeichnung kam. So entstand die Punktperiode, in der zwischen den Parierstangen der Schwerter ein Punkt erscheint. Sie war typisch für die Jahre 1763—1780, jedoch keineswegs eindeutig, denn man findet, worauf bereits R. Rückert aufmerksam machte, den Punkt schon in den dreißiger Jahren des 18. Jahrhunderts. Ähnlich verhält es sich mit dem Sternchen zwischen den Schwertknäufen, das jener Periode ihren Namen gab, in der Graf Kamil Marcolini die Produktionsleitung innehatte (1774—1814); in diesem Zeitabschnitt wurden den Schwertern auch weitere Zeichen beigefügt, die auf die Leiter der einzelnen Malwerkstätten hindeuten. Seit den sechziger Jahren des 18. Jahrhunderts kam die Kennzeichnung der Qualität der Porzellanerzeugnisse durch ein- bis dreifaches Durchstreichen der Marke oder durch waagerechte Striche oberhalb oder unterhalb der Schwerter in Anwendung. Das für den König und seinen Hof bestellte Porzellan trug in den Jahren 1723 bis 1736 das Monogramm AR (Augustus Rex). Besondere Marken hatte das für den sächsischen Hof in Dresden und Warschau bestimmte Geschirr.

Zusätzlich zu den Marken der Manufaktur wurden manche Erzeugnisse der dreißiger Jahre des 18. Jahrhunderts auch mit den eingepreßten Bezeichnungen der Modelleure markiert; im Jahr 1740 wurden diese Zeichen durch Zahlen ersetzt. Und schließlich tragen zur Kompliziertheit der Meißner Markierung auch die Modellnummern bei, die im Jahr 1749 unter der Leitung von J. J. Kändler rückwirkend eingeführt wurden. Bis zum Jahr 1764 wurden auf diese Weise 3051 Modelle registriert. Die Marke der gekreuzten Schwerter ist die älteste, bis zum heutigen Tag gültige Marke europäischen Porzellans. Sie bezeichnet eine Produktion, die im 18. Jahrhundert vor allem durch das Verdienst J. J. Kändlers ein hohes künstlerisches Niveau erreichte und einen großen Einfluß auf das zeitgenössische bildnerische Schaffen ausübte.

Es ist interessant, daß der nächste Konkurrent Meißens in der Porzellanerzeugung, die Porzellanmanufaktur in Wien, ihre Erzeugnisse fast drei Jahrzehnte lang anonym verbreitete. Dies läßt sich schwerlich damit erklären, daß es sich um einen privaten Initiator und Unternehmer (Cl. I. du Paquier) handelt, denn sein jüngerer Partner in Berlin, ebenfalls ein Privatunternehmer (W.C. Wegely), bezeichnet seine Erzeugnisse mit seinem Monogramm. Es scheint deshalb, daß du Paquier die Erzeugnisse seiner Manufaktur deshalb nicht mit einer Marke versah, weil dies im Jahr 1718, als er die Produktion aufnahm, einfach nicht allgemein üblich war. Man begann das Wiener Porzellan erst dann zu bezeichnen, als im Jahr 1744 die Manufaktur vom Kaiserhof aufgekauft wurde, und benützte als Marke das Wappen des österreichischen Herzogtums, den von einem waagerechten Balken überquerten heraldischen Schild. Die Kontur dieser Marke führte zu der falschen Auslegung, es handle sich um einen „Bienenkorb". Mit dieser vorerst eingepreßten, später gemalten und schließlich wiederum eingepreßten Marke kam die Wiener Hofmanufaktur mehr als hundert Jahre ihres Bestehens bis zum Jahr 1864 aus. Die Unveränderlichkeit der stereotypen Fabrikmarke machte Wien durch die Kompliziertheit weiterer Marken wett. In diesen kommen Informationen über die Entstehungszeit und die Autoren der Produkte zum Ausdruck. Im 18. Jahrhundert war es die Bezeichnung der Modelleure von Figuralporzellan durch verschiedene eingepreßte Buchstaben, im 19. Jahrhundert informieren gemalte Zahlen über einige Generationen von Malern aller Genres: über Figuren- und Ornamentmaler, Landschafts- und Stillebenmaler. Eingepreßte Zahlen benützte die Manufaktur zur Bezeichnung des Erzeugungsjahrs; dieser Brauch bürgerte sich auch in einigen weiteren Manufakturen der österreichisch-ungarischen Monarchie, wie z. B. in den böhmischen Porzellanmanufakturen in Slavkov (Schlaggenwald) und Klášterec (Klösterle) ein.

Durch den Aufschwung der Porzellanerzeugung in Deutschland und dem übrigen Europa in der zweiten Hälfte des 18. Jahrhunderts wurde auch das System der Markierung wesentlich bereichert. Die Unternehmer aus den Reihen der regierenden Feudalaristokratie, angeregt durch die erfolgreiche Porzellanerzeugung des sächsischen Kurfürsten, des deutschen Kaisers in Wien und der venezianischen Kaufleute, entwickelten eine komplizierte Skala von Porzellanmarken. Nach dem Vorbild des Sonnenkönigs Ludwig XIV., unter dessen Regierung die Erzeugung in Saint-Cloud aufgenommen wurde, und seiner Nachfolger, die dem französischen Porzellan ihr verdoppeltes Monogramm aufdrückten, zeigen sich auf den Porzellanerzeugnissen des 18. und 19. Jahrhunderts die Monogramme verschiedener Monarchen zusammen mit Kronen. Diese Bezeichnungen bildeten die Grundlage und wirkten als Beispiel für die Porzellanmarken des industriellen Unternehmertums im 19. Jahrhundert. Für das Markieren des Porzellans im 18. Jahrhundert ist eher das symbolische Motiv typisch. Das Symbol des Staates, des Herrschers oder des Erzeugungsorts wurde heraldisch (durch ein Wappen oder ein Element des Wappens oder durch die Insignien des Herrschers) ausgedrückt; später benützte man ein Symbol, das die Landschaft des Herstellungsorts charakterisiert, oder das Berufssymbol des Unternehmers. Zur Kategorie der heraldischen Marken gehören neben den bereits hier erwähnten z. B. die Marken Petersburgs, Nymphenburgs, die von Herend, die Marken des italienischen und spanischen Porzellans und einiger böhmischer Porzellanerzeugungen (Loket [Elbogen]). In die zweite Kategorie könnte man als Beispiele die Silhouette der Kuppel des Florenzer Doms auf dem Medici-Porzellan oder das Motiv des Meeres auf dem Kopenhagener Porzellan u.a. m. einreihen.

Die weitere rasche Entwicklung der Porzellanerzeugung im 19. Jahrhundert, in der Periode der industriellen Revolution, Hunderte und Aberhunderte neuer Porzellanfabriken und die daraus resultierende Konkurrenz, das Tempo und die Mechanisierung der Produktion, all das bewirkte, daß man für eine Differenzierung der Marken mit Hilfe von Symbolen keine Zeit hatte. Nach dem englischen Vorbild greift man zu genauen, voll oder durch Abkürzungen ausgedrückten Firmenbezeichnungen, die über den Herstellungsort oder die Firmeninhaber informieren, wobei Symbole, wenn sie überhaupt benützt wurden, sich höchstens auf eine Ausschmückung der Firmenbezeichnung beschränken. Auch die Menge der handgeschriebenen Marken geht zurück, und seit der Anwendung von Kupferdruck auf Porzellan (ebenfalls nach englischem Muster) verbreitet und stabilisiert sich das Markieren mit dem Stempel, die gedruckte Marke. Das elementare Wesen des Unternehmertums und die Sucht nach Gewinn und Prosperität des Unternehmens geraten jedoch des öftern in Widerspruch mit den Grundsätzen einer seriösen Markierung, d. h. der richtigen Angabe des Erzeugungsorts oder Eigentümers des Unternehmens, und so werden vielfach die Marken derart gewählt, daß sie Symbole oder Monogramme jener Manufakturen nachahmen, die in der Porzellanerzeugung führend sind. Diese Tendenzen zeigen sich bereits im 18. Jahrhundert in den ersten Anfängen der Porzellanherstellung in Meißen, als man Böttgers Erzeugnisse mit ostasiatischen, insbesondere chinesischen Marken und Symbolen versieht. Auch die englischen Unternehmer in Derby, Worcester und Caughly schrecken im 18. Jahrhundert nicht davor zurück, durch eine freie Paraphrase orientalischer Marken anzudeuten, daß auch ihre Erzeugnisse die Qualität der ostasiatischen erreichen. Hier handelt es sich noch nicht um unlautere Absichten, sondern vielmehr um den Ausdruck der Bewunderung und Hochschätzung der jahrhundertealten Tradition der ostasiatischen Porzellanerzeugung, deren Popularität auf diese Weise ausgenützt wird.

Weniger ideale Beweggründe hat dieser Brauch im 19. Jahrhundert. Hier treten Marken auf, die durch ihre beabsichtigte Stilisierung den Anschein erwecken wollen, es handle sich um Erzeugnisse der europäischen Spitzenproduktion. So werden die Meißner Marken nachgeahmt, und nicht nur im Ausland, in England (Chelsea, Derby, Worcester, Bristol), in Belgien (Tournai), in Holland (Weesp), sondern auch in Deutschland selbst. Hier sind es die Porzellanerzeugungen in Rauenstein, Limbach, Nymphenburg, Volkstedt, Wallendorf. In Böhmen ahmt man die Meißner Marke in Loket (Elbogen) und Dubí (Eichwald) nach, im fernen Rußland tut Gardner in Werbiliki dasselbe. Auch das Porzellan von Sèvres mit seinem Weltruf verlockte vielfach zur Nachahmung seiner Marke und zur Stilisierung des berühmten verdoppelten Ludwig-Monogramms in den Konkurrenzunternehmungen in Valenciennes, Limoges, Foëcy, in England in Derby und Worcester, in Deutschland in einigen weniger bedeutenden Unternehmen. Auch die österreichische Marke der Wiener Kaiserlichen Manufaktur fand Widerhall in diesem Sinne, wenn auch keinen so intensiven wie die Marken von Sèvres und Meißen; dies hing augenscheinlich damit zusammen, daß die Wiener Erzeugung zur Zeit der starken Produktions- und geschäftlichen Konkurrenz auf dem Gebiet der Porzellanindustrie bereits schrittweise an Bedeutung verlor. Andererseits darf man nicht die neue Produktion in Wien-Augarten aus dem Auge verlieren, wo seit 1922 außer modernem auch historisierendes Porzellangeschirr mit Sujets der klassizistischen Sorgenthalperiode hergestellt wird.

Die führenden Manufakturen oder Fabriken, die wir hier erwähnten, wehrten sich begreiflicherweise gegen die, wenn auch nur stilisierte Nachahmung ihrer Marken, so daß die Gültigkeit solcher Nachahmungen meist nur kurzlebig war. Trotzdem können sie Sammler sowie Verwalter musealer Sammlungen irreführen, und es ist deshalb notwendig, ihnen eine erhöhte Aufmerksamkeit zu widmen und sie im Zusammenhang mit dem Charakter des in Frage stehenden Erzeugnisses zu prüfen. Bei der Beurteilung der örtlichen und zeitlichen Herkunft eines Porzellanprodukts ist das Hauptkriterium immer das Material, dies auch im Rahmen der Produktion der einzelnen Manufaktur. Es gibt Unternehmen, die über Originalmodelle verfügten oder noch heute verfügen, nach denen man stets neue Abgüsse herstellen kann, die den Eindruck der Altertümlichkeit erwecken. Das gilt vor allem von Meißen, aber auch von Höchst, dessen Modelle die Manufaktur in Damm übernahm, die sogar über dieselbe Marke wie Höchst verfügte. Das war jedoch nur eine vorübergehende Angelegenheit der Zeit um 1800, während in Meißen noch heute „Rokokoporzellan" mit aller Kostspieligkeit und manuellen Gründlichkeit des 18. Jahrhunderts hergestellt wird. Auch die Berliner

Porzellanmanufaktur verfertigte neue Abgüsse nach Modellen des 18. Jahrhunderts. Zum Unterschied von den vorerwähnten beiden Manufakturen, die ihre ursprünglichen Marken weiter benützten und noch heute benützen, änderte die Berliner Porzellanmanufaktur im Verlauf des 19. und 20. Jahrhunderts ihre Marken und benützte konsequent die neuen Marken auch dann, wenn es sich um Abgüsse alter Modelle aus dem 18. Jahrhundert handelte. Man konnte auf diese Weise leicht die ursprünglichen und die neuzeitlichen Abgüsse auseinanderhalten. Neue Abgüsse haben eine glatte unbeschädigte Struktur der Porzellanmasse, sie haben keine Sprünge, z. B. im Sockel von Plastiken, sie haben eine glänzende, brillantere Glasur, ein ausdrucksvolleres Kolorit, das sich vielfach in seinen Farbtönen von der Farbpalette des 18. Jahrhunderts unterscheidet. Dies gilt vor allem für die Plastik, für die unzähligen idyllischen Figuren und Figurengruppen auf Rokokoart, die ihres dekorativen Charakters wegen bis zum heutigen Tag beliebt sind und als ein klassisches Beispiel von Stilhistorismus in der Kunstgeschichte gewertet werden können. Selbst dem fähigsten Maler der Gegenwart fehlt die Begabung, in der heutigen Zeit Rokoko- oder klassizistische Sujets mit Blumen, Landschaften, Figuren und Szenen zu schaffen, die Werken seiner Vorgänger im 18. und in der ersten Hälfte des 19. Jahrhunderts entsprächen und die vor allem die Malerhandschrift der damaligen Porzellanmaler erreichen würden. Nicht einmal die Region der althergebrachten und tief verankerten Tradition der Porzellankunst, China und Japan, wo die Nachahmung alter Muster häufig war und bereits im 18. Jahrhundert zahlreiche, von den ursprünglichen Originalen oft nicht zu unterscheidende Resultate zeitigte, war im 19. Jahrhundert fähig, auf längere Zeit historisierende Produkte zu erzeugen, die ihren neueren Ursprung nicht durch den Pinselzug das Sujet oder das Malmaterial verraten hätten.

Diese Tatsachen führen dazu, daß es unumgänglich ist, sich mit einer ständigen Kontrolle und Identifizierung von Marken als einem glaubwürdigen Produktionsdokument zu befassen. Man muß die Marken mit dem Charakter des Produkts, in das sie eingepreßt, eingeritzt oder auf das sie gedruckt sind, vergleichen, denn die Porzellanerzeugung ist wohl das einzige Fach des Kunstgewerbes, in dem der Historismus noch heute lebt. In diesem Fach hat die Gesellschaft, auch die, die von sich behauptet „modern" zu sein, eine Vorliebe für

Pseudo-Rokokogeschirr und für neuzeitliche Kitschreproduktionen der galanten Gruppen des 18. Jahrhunderts. Dasselbe gilt auch für die modernen Paraphrasen des späten Klassizismus, für den napoleonischen Empirestil. Die Stilbesonderheiten des späten Barocks und des Klassizismus sind dem Porzellan als der Spitzengattung des Kunstgewerbes immanent und kommen stets von neuem bei der heutigen Erzeugung zu Wort. Nur beim neuzeitlichen Gebrauchsporzellan und in Ausnahmefällen auch dem dekorativen Porzellan aus manchen Fabriken, wie z. B. Sèvres, Kopenhagen, Ludwigsburg und Meißen, ist durch das Verdienst hervorragender Künstler das Bestreben bemerkbar, Ausdrucksmittel für die moderne Zeit zu finden, in der dieses einst so seltene und wie ein Juwel geschätzte und bewunderte Material, das wohl kaum von den modernen Kunststoffen des 20. Jahrhunderts verdrängt werden wird, zum alltäglichen Leben gehört.

BILDTEIL

ERLÄUTERUNGEN
ZUM BILDTEIL

Die Anordnung der Marken entspricht den praktischen Erfordernissen des Lesers, für den die Erzeugungsmarke eines Porzellanerzeugnisses die verläßlichste Angabe über den Ort und die Zeit der Herstellung und den Namen des Produzenten bedeutet — also Informationen liefert, die für die Beurteilung des historischen Werts und des Preises von Sammlerobjekten maßgebend sind. Der Anordnung liegen in diesem Buch die Sujets der Marken zugrunde, mit Berücksichtigung des Aussagevermögens ihrer einzelnen Komponenten. Das Hauptmotiv einer Gruppe von Marken sind Bildsymbole, während eine weitere, zahlreicher vertretene Gruppe als wichtigstes Motiv Ortsnamen oder Namen von Erzeugern, eventuell deren Monogramme, enthält. Alle diese Marken völlig eindeutig einzureihen ist ein ziemlich schwieriges Unterfangen: eine Reihe von Marken besteht aus Motiven, die in beide Gruppen fallen, und dem Autor blieb in solchen Fällen nichts anderes übrig, als bei der Einreihung einem der beiden Momente den Vorrang zu geben. Dem Leser sei daher empfohlen, beim Nachschlagen in den einzelnen Markengruppen alle Motive der in Frage stehenden Marke zu berücksichtigen.

ANORDNUNG DER MARKEN: Sonne 1—7, Mond 8—19, Sterne 20—30, Wasser 31—33, Flora 34—79, der Mensch und Teile seines Körpers 80—87, Fauna 88—122, Herrscherinsignien und Heraldik 123—234, Fahnen 235—236, „Zackenbalken" 237—238, Waffen 239—255, Geräte, Werkzeug und Maschinen 256—313, Bauten 314—328, Symbole und geometrische Motive 329—359, Marken in alphabetischer Reihenfolge nach dem lateinischen Alphabet A—Z 360—1738, nach dem kyrillischen Alphabet A—Z 1739—1801, orientalische Marken 1802—2031, europäische Nachahmungen orientalischer Marken 2032——2061.

1		SAINT-CLOUD Porzellanmanufaktur 1693—1722 / *blau*
2		SAINT-CLOUD Porzellanmanufaktur 1693—1722 / *blau*
3		SAINT-CLOUD Porzellanmanufaktur 1693—1722 / *blau*
4		VOLKSTEDT-RUDOLSTADT Porzellanmanufaktur 1808—1870 / *blau*
5		LICHTE Gebrüder Heubach A. G. 19. Jh. / *gedruckt*
6		TRNOVANY (Turn) Riessner & Kessel „Amphora" von 1892 / *gedruckt*
7		SCHIRNDING Porzellanfabrik von 1902 / *gedruckt*
8		BOW W. Duesbury 1762—1776 / *blau*
9		WORCESTER Dr. Wall 1751—1783 / *blau*
10		WORCESTER Dr. Wall 1751—1783 / *rot*

11	**WORCESTER** Dr. Wall 1751—1783 / *rot*
12	**LOWESTOFT** Kopie Worcester 2. Hälfte 18. Jh. / *blau*
13 **14**	**CAUGHLEY** Th. Turner 1772—1799 / *blau*
15 **16**	**CAUGHLEY** Th. Turner 1772—1799 / *blau*
17	**PINXTON** W. Billingsley 1796—1813 / *rot*
18	**KOPENHAGEN** Königliche Porzellanfabrik 19. Jh. / *eingepreßt*
19	**OESLAU** W. Goebel von 1879 / *gedruckt*
20	**DOCCIA** L. Ginori 1770—1790 / *rot*
21	**DOCCIA** C. L. Ginori Ende 18.—Anf. 19. Jh. / *blau, rot, gold*
22 **23** **24**	**DOCCIA** C. L. Ginori Ende 18.—Anf. 19. Jh. / *blau*
25	**DOCCIA** Ginori Ende 19. Jh. / *eingepreßt*
26 **27**	**LE NOVE** E. P. Antonibon von 1763 / *rot, gold* / *blau, rot, gold*

28		LONGTON Paragon China von 1919 / *gedruckt*
29		NOWGOROD Kusnezow 1. Hälfte 19. Jh. / *blau*
30		TOMASZÓW M. Mezer 1806—1810 / *gedruckt*
31		KOPENHAGEN Königliche Porzellanfabrik 1830—1845 / *blau*
32		KOPENHAGEN Königliche Porzellanfabrik 1830—1845 / *blau*
33		KOPENHAGEN Königliche Porzellanfabrik 1830—1845 / *blau*
34		SLAVKOV (Schlaggenwald) Haas & Czjizek 1888—1906 / *gedruckt*
35		SLAVKOV (Schlaggenwald) Haas & Czjizek 20. Jh. / *gedruckt*
36		SLAVKOV (Schlaggenwald) Haas & Czjizek 1888—1896 / *gedruckt*
37		CHODOV (Chodau) Haas & Czjizek von 1905 / *gedruckt*

38	C K W	WALBRZYCH (Waldenburg) Krister Porzellanmanufaktur 1831—1945 / *gedruckt*
39	GERMANY	REHAU Zeh, Scherzer & Co. von 1880 / *gedruckt*
40		CAPODIMONTE Königliche Porzellanfabrik 1743—1759 / *eingepreßt*
41		PARIS, Pont-aux-Choux „Mignon" 1777—1784 / *blau*
42		SAINT CLOUD Königliche Porzellanfabrik 1696 / *eingeritzt*
43 44		PARIS, Pont-aux-Choux „Mignon" 1777—1784 / *blau*
45 46		CAPODIMONTE Königliche Porzellanfabrik 1743—1759 / *blau*
47		BUEN RETIRO Königliche Porzellanfabrik 1760—1803 / *blau*
48		CAPODIMONTE Königliche Porzellanfabrik 1743—1759 / *blau*
49 50 51		BUEN RETIRO Königliche Porzellanfabrik 1760—1803 / *blau*
52		BUEN RETIRO Königliche Porzellanfabrik 1760—1803 / *blau*

53		CHELSEA N. Sprimont & Ch. Gouyn 1745—1749 / *blau*
54		LIMBACH G. Greiner nach 1787 / *rot, grün, gold,* *schwarz*
55 56		KLOSTER VEILSDORF F. C. Greiner 1797—1822 / *blau*
57		ORLÉANS Manufacture Royale nach 1753? oder nach 1766 / *blau*
58		PARIS, Rue de la Roquette Souroux nach 1773 / *blau, rot*
59		ZOFIÓWKA (Charlottenbrunn) Jos. Schachtel nach 1859 / *gedruckt*
60		STARÁ ROLE (Alt-Rohlau) M. Zdekauer nach 1881 / *gedruckt*
61		NIEDERSALZBRUNN H. Ohme nach 1882 / *gedruckt*
62		WUNSIEDEL Retsch & Co. nach 1885 / *gedruckt*
63		WUNSIEDEL Retsch & Co. nach 1885 / *gedruckt*

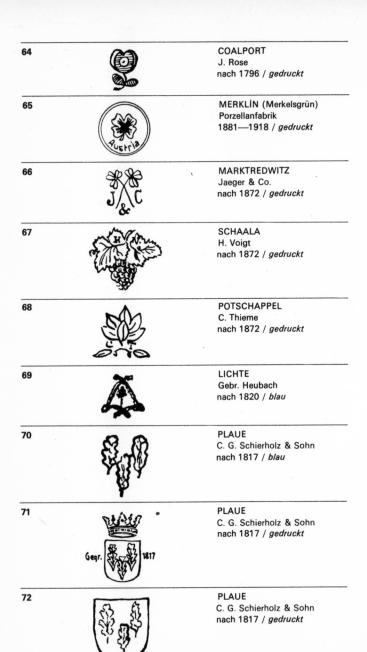

64   COALPORT
J. Rose
nach 1796 / *gedruckt*

65   MERKLÍN (Merkelsgrün)
Porzellanfabrik
1881—1918 / *gedruckt*

66   MARKTREDWITZ
Jaeger & Co.
nach 1872 / *gedruckt*

67   SCHAALA
H. Voigt
nach 1872 / *gedruckt*

68   POTSCHAPPEL
C. Thieme
nach 1872 / *gedruckt*

69   LICHTE
Gebr. Heubach
nach 1820 / *blau*

70   PLAUE
C. G. Schierholz & Sohn
nach 1817 / *blau*

71   PLAUE
C. G. Schierholz & Sohn
nach 1817 / *gedruckt*

72   PLAUE
C. G. Schierholz & Sohn
nach 1817 / *gedruckt*

73		GROSSBREITENBACH G. Greiner nach 1783 / *blau*
74		LIMBACH G. Greiner nach 1787 / *blau*
75		ILMENAU G. Greiner 1787—1792 / *blau*
76		LIMBACH Porzellanmanufaktur Hälfte 19. Jh. / *gedruckt*
77		GROSSBREITENBACH H. Bühl & Söhne 19. Jh. / *gedruckt*
78		DUCHCOV (Dux) E. Eichler nach 1860 / *gedruckt*
79		GEHREN J. Günthersfeld & Co. nach 1884 / *gedruckt*
80		MAILAND San Cristoforo nach 1945 / *gedruckt*
81		WIEN-WILHELMSBURG Öst. Keramik A. G. 1883—1945 / *gedruckt*

82	**OHRDRUF** Baehr & Proeschild nach 1871 / *gedruckt*
83	**LOKET (Elbogen)** R. & E. Haidinger 1817—1833 / *blau*
84	**LOKET (Elbogen)** R. & E. Haidinger 1833—1860 / *eingepreßt*
85	**LOKET (Elbogen)** Springer & Co. um 1900 / *blau*
86	**LOKET (Elbogen)** „Epiag" 1938—1945 / *blau*
87	**PÖSSNECK** Conta & Böhme nach 1790 / *blau*
88	**KASSEL** Friedrich II. von Hessen-Kassel 1766—1788 / *blau*
89	**FRANKENTHAL** J. A. Hannong 1756—1759 / *blau*
90	**MARKTSCHWABEN** Keramische Fabrik 19. Jh. / *gedruckt*

91	**HEREND** Porzellanmanufaktur 1897 / *gedruckt*
92	**TETTAU** G. CH. Greiner nach 1885 / *gold*
93	**SWINTON** Royal Rockingham Works 1820—1842 / *gedruckt*
94	**FÜRSTENBERG** Fürstliche Porzellanmanufaktur 1770—1814 / *eingepreßt*
95	**UNTERWEISSBACH** Mann & Porzelius A. G. 19. Jh. / *gedruckt*
96	**KLÁŠTEREC (Klösterle)** M. Weber 1796—1803 / *rot, schwarz*
97 **98**	**KLÁŠTEREC (Klösterle)** M. Weber 1804—1830 / *blau,* *verschiedenfarbig*
99	**LUDWIGSBURG** Carl Eugen von Württemberg 1759—1806 / *blau*
100	**LUDWIGSBURG** Carl Eugen von Württemberg 1759—1806 / *blau*

101		**LUDWIGSBURG** Carl Eugen von Württemberg 1759—1806 / *blau*
102		**KATZHÜTTE** Hertwig & Co. 19. Jh. — 1945 / *eingepreßt*
103 **104**		**HAAG** A. & J. F. Linker 1776—1790 / *blau*
105		**HAAG** A. & J. F. Linker 1776—1790 / *blau*
106		**HAAG** A. & J. F. Linker 1776—1790 / *blau*
107		**SUHL** E. Schlegelmilch nach 1861 / *gedruckt*
108		**WIEN-WILHELMSBURG** Öst. Keramik A. G. 1883—1945 / *gedruckt*
109		**FENTON** E. Brain & Co. nach 1900 / *gedruckt*
110		**BARCELONA** Manufacturas Cerámicas nach 1921 / *gedruckt*

111		**MARKTREDWITZ** Jaeger & Co. nach 1872 / *gedruckt*
112		**ANSBACH** Markgräfliche Porzellan- manufaktur 1758—1790 / *blau*
113		**ANSBACH** Markgräfliche Porzellan- manufaktur 1758—1790 / *blau*
114 **115**		**NYON** J. Dortu & F. Müller 1781—1813 / *blau*
116		**KÖPPELSDORF** J. Hering & Sohn nach 1893 / *gedruckt*
117		**LILLE** Leperre-Durot 1784—1817 / *rot*
118		**LILLE** Leperre-Durot 1784—1817 / *rot*
119		**MITTERTEICH** M. Emanuel & Co. nach 1900 / *gedruckt*

120		OESLAU W. Goebel nach 1879 / *gedruckt*
121		DUBÍ (Eichwald) Bloch & Co. nach 1871 / *blau*
122		POTSCHAPPEL C. Thieme nach 1872 / *blau*
123		MARIEBERG P. Berthevin 1777—1778 / *rot, blau*
124		MARIEBERG P. Berthevin 1777—1778 / *rot, blau*
125		RÖRSTRAND B. R. Geyer Anf. 19. Jh. / *blau, gold*
126		DUBÍ (Eichwald) Bloch & Co. nach 1871 / *blau*
127		LANGEWIESEN O. Schlegelmilch nach 1872 / *blau*
128		HILDESHEIM Porzellanmanufaktur nach 1760 / *blau*

129		**BUEN RETIRO** Karl III. von Spanien nach 1759 / *blau*
130		**DERBY** Royal Crown Porcelain Co. 1877—1889 / *gedruckt*
131		**DERBY** Royal Crown Porcelain Co. nach 1890 / *gedruckt*
132		**DERBY** Royal Crown Porcelain Co. 1784—1811 / *gold*
133		**BOCK-WALLENDORF** Fasold & Stauch nach 1903 / *gedruckt*
134		**WORCESTER** Royal Worcester Porcelain Co. von 1862 / *gedruckt*
135		**FENTON** Crown Staffordshire China nach 1801 / *gedruckt*
136		**RYBÁŘE** (Fischern) C. Knoll Anf. 20. Jh. / *gedruckt*

137		WALBRZYCH (Waldenburg) C. Tielsch 2. Hälfte 19. Jh. / *blau*
138		BŘEZOVÁ (Pirkenhammer) Porzellanfabrik nach 1890 bis 1938 / *rot, gedruckt*
139		KOPENHAGEN Königliche Porzellanfabrik 1905 / *grün*
140		KOPENHAGEN Königliche Porzellanfabrik 1905 / *grün*
141		KOPENHAGEN Königliche Porzellanfabrik von 1929 / *grün*
142		KAHLA Porzellanmanufaktur nach 1844 / *gedruckt*
143		ELLWANGEN A. F. Prahl's Witwe um 1760 / *blau*
144		ELWANGEN A. F. Prahl's Witwe um 1760 / *blau*

145

HELSINKI
Arabia A/B
1874—1917 / *gedruckt*

146

HEREND
Porzellanmanufaktur
um 1850 / *blau*

147

HEREND
Porzellanmanufaktur
1900—1934 / *blau*

148

HEREND
Porzellanmanufaktur
1891—1897 / *blau*

149

FRJASINO
Gebrüder Barmin
1820—1850 / *blau*

150

HOHENBERG
C. M. Hutschenreuther
1865 / *gedruckt*

151

BADEN-BADEN
Z. Pfalzer
1771—1778 / *blau*

152

SAARGEMÜND
Utzschneider & Co.
19. Jh. / *gedruckt*

153	SAARGEMÜND Utzschneider & Co. 19. Jh. / *gedruckt*
154	TRNOVANY (Turn) E. Wahliss ,,Alexandra-Porzellan'' nach 1894 / *gedruckt*
155 **156**	TIRSCHENREUTH Porzellanfabrik 2. Hälfte 19. Jh. / *gedruckt*
157	TRNOVANY (Turn) E. Wahliss ,,Alexandra-Porzellan'' nach 1894 / *gedruckt*
158 	HELSINKI Arabia A/B nach 1874 / *gedruckt*
159 **160**	REHAU Zeh, Scherzer & Co. um 1900 / *gedruckt*
161	ANSBACH Markgräfliche Porzellanmanufaktur letztes Viertel 18. Jh. / *eingepreßt*
162	ANSBACH Markgräfliche Porzellanmanufaktur um 1765 bis 1800 und 19. Jh. / *blau*

163		**ANSBACH** Markgräfliche Porzellanmanufaktur um 1765 bis 1800 und 19. Jh./ *blau*
164		**WIEN** Staatsmanufaktur 2. Hälfte 18. Jh. / *blau*
165		Wien Staatsmanufaktur 1744—1749 / *eingeritzt*
166		Wien Staatsmanufaktur 1749—1820 / *blau*
167		Wien Staatsmanufaktur 1744—1749 / *eingepreßt*
168		**WIEN** Staatsmanufaktur 1820—1827 / *blau*
169		**WIEN** Staatsmanufaktur 1760—1770 / *blau*
170 **171**		**NYMPHENBURG** Kurfürstliche Porzellanmanufaktur 1755—1765 / *eingepreßt*
172		**NYMPHENBURG** Kurfürstliche Porzellanmanufaktur 1810—1850 / *eingepreßt*
173		**NYMPHENBURG** Kurfürstliche Porzellanmanufaktur 1780—1790 / *eingepreßt*
174		**NYMPHENBURG** Kurfürstliche Porzellanmanufaktur 1850—1862 / *eingepreßt*

175 176	FRANKENTHAL P. Hannong 1755—1759 / *blau*
177	BLANKENHAIN C. & A. Carstens 19. Jh. / *blau*
178	BŘEZOVÁ (Pirkenhammer) Fischer & Mieg 1887—1890 / *grün*
179 180 181	BERLIN Königliche Porzellanmanufaktur 1763—1780 / *blau*
182 183	BERLIN Königliche Porzellanmanufaktur 1780—1800 / *blau*
184	BERLIN Königliche Porzellanmanufaktur 1875—1944 / *blau*
185	BERLIN Königliche Porzellanmanufaktur 1847—1849 / *gedruckt*
186	BERLIN Königliche Porzellanmanufaktur 1849—1870 / *gedruckt*

187		PASSAU Dressel, Kister & Co. 2. Hälfte 19. Jh. / *blau*

188

MEISSEN
Böttgersches Steinzeug
1707—1720 / *eingepreßt*

189

MEISSEN
J. F. Böttger
1710—1720 / *blau*

190

MEISSEN
Königliche
Porzellanmanufaktur
1725—1730 / *blau*

191

MEISSEN
Königliche
Porzellanmanufaktur
1730 / *blau*

192

MEISSEN
Königliche
Porzellanmanufaktur
1731 / *blau*

193

MEISSEN
Königliche
Porzellanmanufaktur
1723—1724 / *blau*

194
195

MEISSEN
Königliche
Porzellanmanufaktur
1725—1730 / *blau*

196

MEISSEN
Königliche
Porzellanmanufaktur
1725—1730 / *blau*

197		MEISSEN Königliche Porzellanmanufaktur 1730—1735 / *blau*
198		MEISSEN Königliche Porzellanmanufaktur 1730—1740 / *blau*
199		MEISSEN Königliche Porzellanmanufaktur nach 1750 / *blau*
200		MEISSEN Königliche Porzellanmanufaktur 1730—1740 / *blau*
201		MEISSEN Königliche Porzellanmanufaktur um 1765 / *blau*
202 **203**		MEISSEN Königliche Porzellanmanufaktur nach 1763 / *blau*
204 **205**		MEISSEN Königliche Porzellanmanufaktur nach 1774 / *blau*
206		MEISSEN Königliche Porzellanmanufaktur 1772 und nach 1774 / *blau*
207		MEISSEN Königliche Porzellanmanufaktur 1774—1830 / *eingepreßt*

208		MEISSEN Königliche Porzellanmanufaktur Anf. 19. Jh. / *blau*
209		MEISSEN Königliche Porzellanmanufaktur nach 1723, mit dem zusätzlichen Zeichen des Meisters Kretschmar / *blau*
210		MEISSEN Königliche Porzellanmanufaktur 1. Hälfte 18. Jh., mit dem Zeichen des Meisters Moebius / *blau*
211		MEISSEN Königliche Porzellanmanufaktur nach 1766, Mittelsorte / *blau*
212		MEISSEN Königliche Porzellanmanufaktur nach 1766, Mittelsorte, unbemalt / *blau*
213		MEISSEN Königliche Porzellanmanufaktur nach 1766, Mittelsorte, bemalt / *blau*
214		MEISSEN Königliche Porzellanmanufaktur nach 1766, Ausschuß, bemalt / *blau*
215		MEISSEN Königliche Porzellanmanufaktur nach 1766, Ausschuß, unbemalt / *blau*
216		MEISSEN Königliche Porzellanmanufaktur nach 1766, zweite Sorte, bemalt / *blau*
217		MEISSEN Königliche Porzellanmanufaktur nach 1766, dritte Sorte / *blau*

218		MEISSEN Königliche Porzellanmanufaktur nach 1766, Ausschuß / *blau*
219		MEISSEN Königliche Hofconditorei Warschau 1763—1806 / *schwarz, rot*
220		MEISSEN Königliche Porzellanmanufaktur nach 1724, mit Service-Nummer / *blau*
221		MEISSEN Königliche Porzellanmanufaktur, Zeichen der Modelleure, 18. Jh. / *blau* Georg Kittel Peter Geithner Gottfried Lohse Johann Christoph Krumbholtz Johann Donner Johann Kittel Christoph Busch Johann Meisel Georg Michel Johann Michal Schuhmann
222		VOLKSTEDT-RUDOLSTADT Chr. Nonne nach 1788—1799 / *blau*
223		LOWESTOFT Kopie der Meißner Marke 18. Jh. / *blau*
224		CHELSEA Nachahmungen Meißens 18. Jh. / *blau, gold*
225		WEESP Graf Gronsveldt-Diepenbroek 1759—1771 / *blau*

226		WEESP
		Graf Gronsveldt-Diepenbroek
		1759—1771 / *blau*

227		BRISTOL
		R. Champion
		Ende 18. Jh. / *blau, eingeritzt*

228		BRISTOL
		R. Champion
		Ende 18. Jh. / *blau, eingeritzt*

229		BRISTOL
		R. Champion
		Ende 18. Jh. / *blau, eingeritzt*

230		BRISTOL
		R. Champion
		Ende 18. Jh. / *blau, eingeritzt*

231		BRISTOL
		R. Champion
		1773—1781 / *blau, eingeritzt*
		mit goldener Jahreszahl

232		WORCESTER
		Dr. Wall
		1751—1783 / *blau*

233		DERBY
		Nachahmungen Meißens
		Mitte 18. Jh. / *blau*

234		TOURNAI
		F. J. Peterinck
		1763—1800 / *blau, gold*

235		**KÖPPELSDORF** J. Hering & Sohn um 1893 / *gedruckt*
236		**GOZDNICA** (Freiwaldau) H. Schmidt 2. Hälfte 19. Jh. / *gedruckt*
237		**VINCENNES** Séguin, Wappen des Herzogs de Chartres 1777—1788 / *blau*
238		**ORLÉANS** Manufacture Royale 1767—1806 / *blau*
239		**PARIS**, rue de la Roquette J. V. Dubois nach 1774 / *blau*
240		**EISENBERG** Porzellanfabrik Kalk GmbH nach 1900 / *blau*
241		**MITTERTEICH** M. Emanuel & Co. nach 1900 / *gedruckt*
242		**BOW** Weatherby & Crowther um 1750 / *blau*
243		**WORCESTER** Dr. Wall-Periode 1751—1783 / *blau*
244		**BOW** Weatherby & Crowther um 1750 / *eingeritzt*

245		KYSIBL (Giesshübel) Chr. Nonne & K. Rösch 1803—1811 / *blau*
246		KYSIBL (Giesshübel) B. Knaute 1815—1828 / *blau*
247 **248**		KYSIBL (Giesshübel) B. Knaute 1828—1830 / *blau*
249		PARIS, rue de la Roquette Fr. Hébert 1741—1752 / *blau*
250		GRÄFENTHAL Unger, Schneider, Hutschenreuther & Co. nach 1861 / *blau*
251 **252** **253**		GRÄFENTHAL Unger, Schneider, Hutschenreuther & Co. nach 1861 / *blau*
254		PARIS, rue de la Roquette J. V. Dubois nach 1774 / *blau*
255		MITTERTEICH M. Emanuel & Co. nach 1900 / *gedruckt*

256		CHELSEA Triangle Period (Sprimont-Gouyn) 1745—1750 / *blau*
257 258		PARIS, rue Fontaine-au-Roy L. Russinger nach 1771 / *blau*
259		PARIS, rue Fontaine-au-Roy J. Pouyat nach 1800 / *blau*
260 261		VOLKSTEDT-RUDOLSTADT Chr. Nonne 1787—1799 / *blau*
262		VOLKSTEDT-RUDOLSTADT Chr. Nonne 1808—1890 / *blau*
263		VOLKSTEDT-RUDOLSTADT Chr. Nonne 1808—1890 / *blau*
264 265		VOLKSTEDT-RUDOLSTADT R. Eckert & Co. nach 1895—nach 1900 / *gedruckt*
266		VOLKSTEDT-RUDOLSTADT R. Eckert & Co. nach 1895—nach 1900 / *gedruckt*
267 268		PARIS, Faubourg Saint-Denis Pierre A. Hannong 1771—1776 / *blau*
269		KÖPPELSDORF-NORD Gebr. Schoenau, Swaine & Co. nach 1854 / *blau*

270 271	ARNSTADT Porzellanfabrik nach 1790 / *blau* [1]
272	SCEAUX J. Jullien & S. Jacques 1763—1772 / *eingeritzt*
273 274	VENEDIG G. Cozzi 1766—1813 / *rot, gold*
275	CHELSEA Anchor Period (Sprimont-Fawkener) 1753—1758 / *rot*
276	CHELSEA Anchor Period (Sprimont- Fawkener) 1753—1758 / *blau*
277	CHELSEA Anchor Period (Sprimont-Fawkener) 1750—1753 / *rot*
278	BOW W. Duesbury 1760—1776 / *rot*
279 280	SCHWARZENBACH O. Schaller & Co. nach 1882 / *gedruckt*
281	BARANÓWKA M. Mezer & Bruder 1801—1850 / *blau*
282	BOW W. Duesbury 1760—1776 / *rot*
283	BOW W. Duesbury 1760—1776 / *blau, rot*
284	BOW W. Duesbury 1760—1776 / *rot*

285		**BOW** W. Duesbury 1760—1776 / *rot*
286		**CHELSEA** Raised Anchor Period 1750—1753 / *eingepreßt*
287		**HÖCHST** Kurfürstliche Porzellanmanufaktur 1758—1765 / *eingepreßt*
288 289		**HÖCHST** Kurfürstliche Porzellanmanufaktur 1750—1763 / *rot, schwarz,* *braun / blau*
290		**HÖCHST** Kurfürst Emmerich von Breidenbach 1765—1774 / *blau*
291		**PASSAU** Nachahmungen von Höchst 19. Jh. / *blau*
292 293		**DAMM** Abgüsse von Höchst-Modellen 1860—1888 / *blau*
294		**DAMM** Abgüsse von Höchst-Modellen 1840—1845 / *blau*
295		**DAMM** Abgüsse von Höchst-Modellen 1850—1860 / *blau*
296		**DAMM** Abgüsse von Höchst-Modellen 19. Jh. / *blau*

297	CHANTILLY Prince de Condé 1726—1740 / *blau, rot*
298	CHANTILLY Prince de Condé 1740—1800 / *blau*
299	CHANTILLY Prince de Condé 1740—1800 / *blau*
300	ŠTARÁ ROLE (Alt-Rohlau) Fr. Manka von 1833 / *gedruckt*
301	OHRDRUF Kling & Co. 1836—1941 / *gedruckt*
302	WIEN M. G. Großbaum 1889 / *blau*
303	ALT-HALDENSLEBEN Schmerzer & Gericke 2. Hälfte 19. Jh. / *gedruckt*
304	ŠTARÁ ROLE (Alt-Rohlau) M. Zdekauer nach 1884 / *gedruckt*
305	DELFT Ary de Milde Ende 17. Jh. / *eingepreßt*

306		**LORCH** Deusch & Co. nach 1898 / *gedruckt*
307		**MITTERTEICH** M. Emanuel & Co. Ende 19. Jh. / *gedruckt*
308		**ILMENAU** Gebr. Metzler & Ortloff nach 1876 / *gedruckt*
309		**SCHEDEWITZ** A. Unger 20. Jh. / *gedruckt*
310		**STADTLENGSFELD** Porzellanfabrik A. G. um 1900 / *gedruckt*
311		**DOCCIA** R. Ginori 18. Jh. / *blau*
312		**KÖPPELSDORF** E. Heubach nach 1887 / *blau*
313		**STADTLENGSFELD** Porzellanfabrik A. G. um 1920 / *gedruckt*

314		TOURNAI F. J. Peterinck 1753—1780 / *blau, gold*
315		TOURNAI F. J. Peterinck 1753—1780 / *gold*
316		TOURNAI F. J. Peterinck 1753—1780 / *rot, violett*
317		TOURNAI F. J. Peterinck 1753—1780 / *gold*
318		TOURNAI F. J. Peterinck 1752—1762 / *verschieden-farbig*
319 320		TOURNAI F. J. Peterinck 1752—1762 / *verschieden-farbig*
321		TOURNAI F. J. Peterinck 1752—1762 / *verschieden-farbig*
322		PARIS, Clignancourt P. Deruelle 1771—1775 / *gold*
323		PARIS, Clignancourt P. Deruelle 1771—1775 / *rot*
324	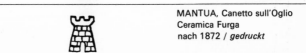	MANTUA, Canetto sull'Oglio Ceramica Furga nach 1872 / *gedruckt*

325		FLORENZ sog. Medici-Porzellan 1586—1620 / *blau*
326		PÉCS (Fünfkirchen) Zsolnay 2. Hälfte 19. Jh. / *blau*
327		PÉCS (Fünfkirchen) Zsolnay 2. Hälfte 19. Jh. / *gedruckt*
328		PÉCS (Fünfkirchen) Zsolnay 2. Hälfte 19. Jh. / *gedruckt*
329		VINOVO Kreuz der Dynastie Savoyen (G. V. Brodel) 1776—1778 / *schwarz*
330		VINOVO Kreuz der Dynastie Savoyen (G. V. Brodel) 1776—1778 / *blau*
331		VINOVO G. V. Brodel 1776—1778 / *blau*
332		VINOVO Dr. V. A. Gioanetti nach 1780 bis 1815 / *blau*

333	VINOVO Porzellanmanufaktur, mit Zeichen des Malers Carasso vor 1820 / *blau*
334	FULDA Stadtwappen 1765—1775 / *blau*
335	BRISTOL R. Champion 1773—1781 / *blau*
336	BRISTOL R. Champion 1773—1781 / *blau*
337	PLYMOUTH W. Cookworthy 1768—1770 / *blau oder eingeritzt*
338	BOURG-LA-REINE J. Jullien & S. Jacques 1773—1804 / *blau*
339	SITZENDORF Gebr. Voigt nach 1850 / *blau*
340	BERLIN Königliche Porzellanmanufaktur seit 1870 / *gedruckt*
341	KOPENHAGEN F. H. Müller nach 1773 / *eingepreßt*

342	PLAUE C. G. Schierholz nach 1817 / *blau*
343 **344**	PLAUE C. G. Schierholz & Co. nach 1817 / *blau*
345	SITZENDORF Gebr. Voigt nach 1850 / *blau*
346	WORCESTER Malerzeichen aus der Dr. Wall-Periode 1751—1783 / *blau*
347	MARIEBERG H. Sten 1769—1788 / *blau*
348	BOW W. Duesbury 1760—1776 / *blau*
349 **350**	KORZEC Czartoryski - Mezer 1790—1797 / *gold*
351	CHELSEA Dreieck-Periode 1745—1749 / *eingeritzt*
352	CHELSEA Dreieck-Periode 1745—1749 / *gedruckt*
353	WORCESTER Dr. Wall-Periode 1751—1783 / *blau*
354 **355** **356**	WORCESTER Dr. Wall-Periode 1751—1783 / *blau*
357	WORCESTER Dr. Wall-Periode 1751—1783 / *blau*
358	WORCESTER Dr. Wall-Periode 1751—1793 / *blau*

359	MOSKAU Kudinow 19. Jh. / *blau*
360	ALCORA Graf von Aranda- P. Cloostermans nach 1786 / *braun, schwarz*
361	ALCORA Graf von Aranda- P. Cloostermans nach 1786 / *gold*
362	ALCORA Graf von Aranda- P. Cloostermans nach 1786 / *eingeritzt*
363	BOW III. Periode, W. Duesbury 1760—1776 / *blau*
364	LONGTON Hall W. Littler 1750—1760 / *blau*
365	PARIS, rue Thiroux A. M. Lebœuf 1776—1790 / *blau, rot*
366	DOUBÍ (Aich) J. Möhling 1849—1860 / *eingepreßt*
367	TRNOVANY (Turn) Riessner & Kessel nach 1892 / *gedruckt*
368	ANSBACH Markgräfliche Porzellanmanufaktur nach 1758 / *blau*
369	ANSBACH Markgräfliche Porzellanmanufaktur nach 1758 / *blau*

370		ANSBACH
371		Markgräfliche
372		Porzellanmanufaktur
		nach 1758 / *blau*
373		ANSBACH
		Markgräfliche
		Porzellanmanufaktur
		nach 1758 / *blau*
374		SITZERODE
		Macheleid
		Mitte des 18. Jh. / *blau*
375		ANSBACH
		Markgräfliche
		Porzellanmanufaktur
		um 1765 / *blau*
376		ANSBACH
		Markgräfliche
		Porzellanmanufaktur
		um 1765 / *blau*
377		ANSBACH
		Markgräfliche
		Porzellanmanufaktur
		um 1765 / *blau*
378		ANSBACH
		Marke des Palastporzellans
		1757—1790 / *blau*
379		ANSBACH
		Marke des Palastporzellans
		1757—1790 / *blau*
380		ANSBACH
		Marke des Palastporzellans
		1757—1790 / *blau*

381 382		PARIS, rue Thiroux Manufacture de la Reine (M. Antoinette) 1776—1790 / *blau, rot*
383		WEIDEN A. Bauscher nach 1881 / *blau*
384		ELGERSBURG F. C. Arnoldi 2. Hälfte 19. Jh. / *blau*
385	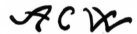	BAYREUTH Maler A. C. Wanderer 1727—1748 / *blau*
386		ARZBERG C. Schumann nach 1881 / *gedruckt*
387		PARIS-GROS CAILLOU Advenier & Lamare 1773—1784 / *blau*
388		LONGTON Adderley Watership Ende 18. Jh. / *gedruckt*
389		LONGTON Adderley Watership Anfang 19. Jh. / *gedruckt*

390 	LONGTON Adderley Watership 19. Jh. / *gedruckt*
391	ILMENAU A. Fischer 1907 / *gedruckt*
392	ILMENAU A. Fischer 1907 / *gedruckt*
393	VIERZON M. Hachez & Co. 19. Jh. / *gedruckt*
394	DOUBÍ (Aich) J. Möhling 1849—1860 / *eingepreßt*
395	BUDOV (Budau) A. Lang 1860—1880 / *eingepreßt*
396	LONGTON Royal Albert Bone China nach 1844 / *gedruckt*
397	LONGTON Royal Albert Bone China nach 1844 / *gedruckt*

398 *Robert Allen 1760*	LOWESTOFT R. Allen nach 1780 / *blau*
399 *Allen Lowestoft*	LOWESTOFT R. Allen nach 1780 / *blau*
400	LOWESTOFT R. Allen nach 1780 / *blau*
401 	ALTENBURG Porzellanfabrik 19. Jh. / *gedruckt*
402 **ALTON** **BONE** **CHINA**	LONGTON Alton China nach 1950 / *gedruckt*
403 	STARÁ ROLE (Alt-Rohlau) B. Hasslacher 1813—1824 / *eingepreßt*
404	STARÁ ROLE (Alt-Rohlau) A. Nowotny 1838—1884 / *eingepreßt*
405 **ALTROHLAU**	STARÁ ROLE (Alt-Rohlau) M. Zdekauer 1884—1920 / *gedruckt*

406	STARÁ ROLE (Alt-Rohlau) M. Zdekauer nach 1920 / *gedruckt*
	M Z Altrohlau CMR CZECHOSLOVAKIA	
407	STARÁ ROLE (Alt-Rohlau) A. Nowotny 1838—1884 / *gedruckt*
	NOWOTNY IN ALTENROHLAU BEY KARLSBAD	
408	WALBRZYCH (Waldenburg) C. Tielsch 1845—1948 / *gedruckt*
409	WALBRZYCH (Waldenburg) C. Tielsch um 1900 / *gedruckt*
	C.T. ALTWASSER	
410	WALBRZYCH (Waldenburg) C. Tielsch um 1900 / *gedruckt*
	C.T. ALTWASSER	
411	DOUBÍ (Aich) J. Möhling um 1860 / *eingepreßt*
	A M	
412	DOUBÍ (Aich) J. Möhling vor 1860 / *eingepreßt*
	A M	
413	KÖPPELSDORF-NORD A. Marseille nach 1887 / *gedruckt*
	A M	
414	KÖPPELSDORF-NORD A. Marseille nach 1887 / *blau*

415	SAINT-AMAND-LES-EAUX
	Familie Bettignies
	2. Hälfte 19. Jh. / *blau*

416	AMBERG
417	E. Kick
	1850—1910 / *blau*

418	TRNOVANY (Turn)
	Riessner & Kessel
	20. Jh. / *gedruckt*

419	AMSTEL
	F. Däuber-Periode
	1784—1800 / *blau*

420	AMSTEL
	Periode Georg Dommer & Co.
	1801—1809 / *schwarz, rot, gold*

421	AMSTEL
	F. Däuber-Periode
	1784—1800 / *blau*

422	STARÁ ROLE (Alt-Rohlau)
	A. Nowotny & Co.
	um 1850 / *eingepreßt*

423	STARÁ ROLE (Alt-Rohlau)
	A. Nowotny
	um 1870 / *eingepreßt*

424	GUSTAVSBERG
	Porzellanmanufaktur
	1840 / *gedruckt*

425	SAINT-CLOUD / Rouen?
	P. Chicaneau
	Ende 17. Jh. / *blau*

426 427		SAINT-CLOUD / Rouen? P. Chicaneau Ende 17. Jh. / *blau*
428		UNTERWEISSBACH A. Porzelius Mitte 19. Jh. / *gedruckt*
429		MEISSEN Augustus Rex 1723—1736 / *blau*
430		MEISSEN Augustus Rex 1723—1736 / *blau*
431		MEISSEN Augustus Rex 1723—1736 / *blau*
432 433		ARRAS J. F. Boussemart & Delemer 1770—1790 / *rot*
434		ARRAS J. F. Boussemart & Delemer 1770—1790 / *blau*
435		ARRAS Delemer 1772—1790 / *blau*
436		ARRAS Delemer 1772—1790 / *blau*

437	MAILAND
---	A. Richard
	nach 1850 / *blau*

438	KOPENHAGEN
---	A. Mollert
	18. Jh. / *eingepreßt*

439	LOKET (Elbogen)
---	R. E. Haidinger, Nachahmung
	Meißen
	19. Jh. / *blau*

440	WEIDEN
---	Gebr. Bauscher
	nach 1881 / *gedruckt*

441

JAWORZYNA ŚLĄSKA
(Königszelt)
A. Rosenthal Co.
um 1900 / *gedruckt*

442

STARÁ ROLE (Alt-Rohlau)
M. Zdekauer
nach 1880 / *gedruckt*

443

HELSINKI
,,Arabia''
nach 1948 / *gedruckt*

444

HELSINKI
,,Arabia''
nach 1948 / *gedruckt*

445		HELSINKI ,,Arabia'' nach 1948 / *gedruckt*
446		HELSINKI ,,Arabia'' nach 1948 / *gedruckt*
447		DELFT Ary de Milde um 1700 / *eingepreßt*
448		ARZBERG Filiale der Porzellanfabrik Kahl nach 1890 / *gedruckt*
449		ARZBERG C. M. Hutschenreuther nach 1839 / *gedruckt*
450		ARZBERG C. M. Hutschenreuther 2. Hälfte 19. Jh. / *gedruckt*
451 452		LONGTON Aynsley China 1. Hälfte 19. Jh. / *gedruckt*
453		SAINT-AMAND-LES-EAUX M. Bettignies 1. Hälfte 19. Jh. / *blau*

454	STARÁ ROLE (Alt Rohlau) M. Zdekauer nach 1884 / *gedruckt*
455	WIEN-AUGARTEN Wiener Porzellanfabrik nach 1922 / *gedruckt*
456	VAUX La Borde & Hocquart 1769 / *blau*
457	DOUBÍ (Aich) A. C. Anger 1860—1901 / *blau*
458 459	BUDOV (Budau) Fr. Lang 1831—1840 / *blau*
460	BARANÓWKA M. Mezer 1804—1820 / *blau*
461	BARANÓWKA M. Mezer 1804—1820 / *rot*
462	BASDORF Gebr. Schackert nach 1751 / *blau*
463	BOISETTE J. Vermonet & Fils 1778—1790 / *schwarz, blau*
464 465 466	BOISETTE J. Vermonet & Fils 1778—1790 / *blau*
467 468 469	WORCESTER M. Barr 1792—1807 / *blau*

470	BOW W. Duesbury 1760—1776 / *blau, rot*

471	BOW Th. Frye 1755—1760 / *blau*

472	LASSAY Comte de Lauraguais-Brancas 1763—1768 / *eingeritzt*

473	BRÜSSEL J. S. Vaume 1786—1790 / *blau, rot*

474	BRÜSSEL-SCHAERBEEK J. S. Vaume 1786—1790 / *blau, rot*

475 476	BRISTOL W. Cookworthy 1770—1781 / *blau*

477	RUDOLSTADT E. Bohne von 1854 / *blau*

478	BARANÓWKA M. Mezer nach 1805 / *blau, gold*

479 480	BARANÓWKA M. Mezer nach 1805 / *rot*

481	BARANÓWKA M. Mezer nach 1805 bis 1825 / *rot*

482	BARANÓWKA M. Mezer nach 1805 bis 1825 / *blau*

483 **484**	BARANÓWKA M. Mezer nach 1805 bis 1825 / *schwarz*
485	BARANÓWKA M. Mezer nach 1805 bis 1825 / *schwarz*
486	BASDORF Gebr. Schackert nach 1751 / *blau*
487	PLANKENHAMMER Porzellanfabrik nach 1908 / *gedruckt*
488	WALDSASSEN Bayreuther & Co. nach 1866 / *gedruckt*
489	ARZBERG C. Schumann nach 1881 / *gedruckt*
490	WALDSASSEN Gareis, Kühnl & Co. nach 1899 / *gedruckt*
491	WALDSASSEN Gareis, Kühnl & Co. nach 1899 / *gedruckt*
492	WALDSASSEN Gareis, Kühnl & Co. nach 1899 / *gedruckt*

493		MARKTLEUTHEN H. Winterling nach 1903 / *gedruckt*
494		ERKERSREUTH Gebr. Hoffmann 20. Jh. / *gedruckt*
495		SCHWARZENBACH J. Kronester & Co. nach 1904 / *gedruckt*
496		MITTERTEICH Porzellanfabrik A. G. nach 1917 / *gedruckt*
497		MARKTREDWITZ Jaeger & Co. nach 1872 / *gedruckt*
498		SELB P. Müller 1890—1912 / *gedruckt*
499		WUNSIEDEL Retsch & Co. nach 1885 / *gedruckt*
500		RÖSLAU Gebr. Winterling nach 1906 / *gedruckt*

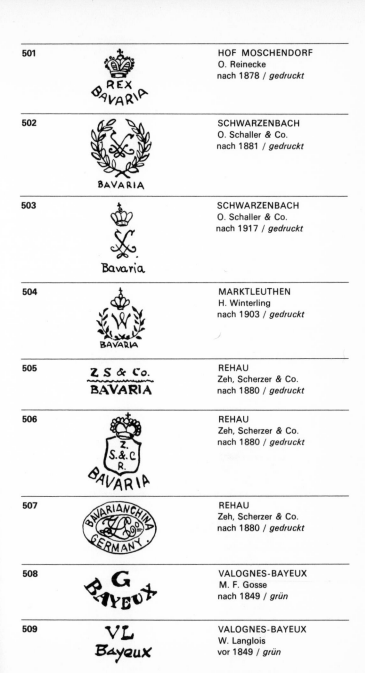

501	HOF MOSCHENDORF O. Reinecke nach 1878 / *gedruckt*
502	SCHWARZENBACH O. Schaller & Co. nach 1881 / *gedruckt*
503	SCHWARZENBACH O. Schaller & Co. nach 1917 / *gedruckt*
504	MARKTLEUTHEN H. Winterling nach 1903 / *gedruckt*
505	REHAU Zeh, Scherzer & Co. nach 1880 / *gedruckt*
506	REHAU Zeh, Scherzer & Co. nach 1880 / *gedruckt*
507	REHAU Zeh, Scherzer & Co. nach 1880 / *gedruckt*
508	VALOGNES-BAYEUX M. F. Gosse nach 1849 / *grün*
509	VALOGNES-BAYEUX W. Langlois vor 1849 / *grün*

510		VALOGNES-BAYEUX M. F. Gosse nach 1849 / *grün*
511		SOPHIENTHAL Thomas & Co. nach 1948 / *gedruckt*
512		SOPHIENTHAL Thomas & Co. 1928—1934 / *gedruckt*
513		BAYREUTH S. P. Meyer, ,,Walküre'' nach 1900 / *gedruckt*
514		WALDSASSEN Bayreuther & Co. nach 1866 / *gedruckt*
515	Bayswater	BAYSWATER Englische Malwerkstatt chinesischen und europäischen Porzellans 18.—19. Jh. / *gedruckt*
516		DUBÍ (Eichwald) Bloch & Co. nach 1871 / *blau*
517	**BB**	DUBÍ (Eichwald) Bloch & Co. nach 1871 / *blau*

536	NIDERVILLER J. L. de Beyerlé 1765—1770 / *violett*
537	NIDERVILLER J. L. de Beyerlé 1765—1770 / *blau*
538	NOVÁ ROLE (Neu Rohlau) ,,Bohemia'' 1921 / *gedruckt*
539	NOVÁ ROLE (Neu-Rohlau) ,,Bohemia'' 1921 / *gedruckt*
540	WIEN G. Mladenof & Co. nach 1929 / *gedruckt*
541	FENTON A. Bowker 19. Jh. / *gedruckt*
542 	BORDEAUX D. Johnston 1836—1845 / *violett*
543	LONGTON Cartwright & Edwards Ltd. nach 1858 / *gedruckt*

544		PARIS, rue de Crussol Chr. Potter 1792—1800 / *blau*

544 — B Potter 4 2 — PARIS, rue de Crussol / Chr. Potter / 1792—1800 / *blau*

545 — BORDEAUX / Verneuilh & Alluaud / 1781—1790 / *eingepreßt*

546 — B.R. — BOURG-LA-REINE / J. Jullien & S. Jacques / 1773—1804 / *eingepreßt*

547 — B R / N — BOURG-LA-REINE / J. Jullien & S. Jacques / 1773—1804 / *eingepreßt*

548 — BRAMELD — SWINTON / Rockingham Factory / 19. Jh. / *gedruckt*

549 — Branksome China England — BOURNEMOUTH-WEST / Branksome Ceramics / nach 1945 / *gedruckt*

550 — Bristol — BRISTOL / R. Champion / 1773—1781 / *rot*

551 — Bristol Founded in 1652 England — BRISTOL / Putney & Co. / nach 1852 / *gedruckt*

552

BRÜSSEL-ETTERBEEK
L. Demeuldre-Coché
1920—1930 / *gedruckt*

553

BRÜSSEL-ETTERBEEK
L. Demeuldre-Coché
1920—1941 / *gedruckt*

554

BRÜSSEL-ETTERBEEK
L. Demeuldre-Coché
1920—1941 / *gedruckt*

555

BRÜSSEL-ETTERBEEK
Etablissements Demeuldre
20. Jh. / *gedruckt*

556

L.C
Brux

BRÜSSEL
L. Cretté
1791—1803 / *rot*

557

BUDAPEST
E. Fischer
nach 1868 / *gedruckt*

558		SHELTON Brow, Westerheat & Co. nach 1858 / *gedruckt*
559	**C**	CAUGHLEY Th. Turner 1772—1783 / *blau*
560	*C*	CHODOV (Chodau) Hüttner & Co. 1835—1840 / *blau, gold*
561	*C*	CHODOV (Chodau) Haas & Czjizek nach 1905 / *blau*
562	△C	CHODZIEŻ Fabryka porcelany nach 1882 / *blau*
563	△Ć	ĆMIELÓW X. Drucko-Lubecki nach 1842 / *blau*
564	Ⓐ	UHLSTÄDT R. Albert nach 1873 / *blau*
565	FRANCE ... DÉPOSÉ	LIMOGES Ch. Ahrenfeld nach 1894 / *gedruckt*
566		LIMOGES Ch. Ahrenfeld Ende 19. Jh. / *gedruckt*
567	**CAEN**	CAEN d'Aigmont-Desmares 1793—1806 / *rot*
568	**caen**	CAEN d'Aigmont-Desmares 1793—1806 / *rot*

569	CARLSBAD	RYBÁŘE (Fischern) C. Knoll 1848—1868 / *eingepreßt*
570		DELFT J. Caluve vor 1730 / *eingepreßt*
571	 ESTd. 1774 **CAULDON CHINA** **ENGLAND**	SHELTON Cauldon China 20. Jh. / *gedruckt*
572	CBD	COALPORT (Coalbrookdale) nach 1780 / *blau*
573	c B	COALPORT (Coalbrookdale) nach 1780 / *blau*
574	CD	COALPORT (Coalbrookdale) nach 1780 / *blau*
575	CBD	COALPORT (Coalbrookdale) nach 1780 / *blau, gold*
576	CB DALE	COALPORT (Coalbrookdale) nach 1780 / *blau, gold*
577	X	NIDERVILLER A. Ph. de Custine 1770—1793 / *schwarz*
578	X	LUDWIGSBURG Carl Eugen von Württemberg 1759—1793 / *blau*

579		LUDWIGSBURG Carl Eugen von Württemberg 1759—1793 / *blau*
580		NIDERVILLER A. Ph. de Custine 1770—1793 / *blau*
581		NIDERVILLER A. Ph. de Custine 1770—1793 / *blau*
582		LUDWIGSBURG Carl Eugen von Württemberg 1759—1793 / *blau*
583		LUDWIGSBURG Carl Eugen von Württemberg 1759—1806 / *blau*
584		LUDWIGSBURG Carl Eugen von Württemberg 1759—1806 / *blau*
585		ROM F. Cuccumos 1761—1781 / *blau*
586		SCHORNDORF C. M. Bauer & Pfeiffer 1904—1939 / *gedruckt*
587		COALPORT (Coalbrookdale) nach 1780 / *blau*
588		LIMOGES Grellet Frères 1771—1796 / *blau, eingepreßt, rot, gold*

589	**c d**
	LIMOGES Grellet Frères 1771—1796 / *blau, eingepreßt,* *rot, gold*
590	**C˙D**
	LIMOGES Grellet Frères 1771—1796 / *blau, eingepreßt,* *rot, gold*
591	**C·D**
	LIMOGES Grellet Frères 1771—1796 / *blau*
592	ŻARY (Sorau) C. & E. Carstens nach 1918 / *gedruckt*
593	**c · G** **w**
	WÜRZBURG C. Geyger 1775—1780 / *eingepreßt*
594	**CF**
	ZWICKAU Ch. Fischer nach 1850 / *blau*
595	**CF**
	BŘEZOVÁ (Pirkenhammer) Ch. Fischer 1846—1857 / *eingepreßt*
596	MAILAND San Christoforo 1830—1833 / *blau*
597	**C** *Flight*
	WORCESTER J. & J. Flight 1783—1791 / *rot, blau*
598	**CH**
	PARIS, Barrière de Reuilly H. Fl. Chanou 1779—1785 / *rot, gold*
599	**CHAMBERLAINS** **WORCESTER.**
	WORCESTER R. Chamberlain nach 1840 / *blau*
600	*Chamberlain's* *Worcester* *& 63, Piccadilly,* *London*
	WORCESTER Chamberlains nach 1840 / *gedruckt*

601	WORCESTER R. Chamberlain um 1850 / *blau*
602	WORCESTER Chamberlains 1852—1862 / *gedruckt*
603 CHAMBERLAIN & CO. WORCESTER 155 NEW BOND STREET & NO. 1. COVENTRY ST LONDON.	WORCESTER Chamberlains 1840—1845 / *gedruckt*
604	WORCESTER Chamberlains 1840—1845 / *gedruckt*
605 	WORCESTER Chamberlains 1840—1845 / *gedruckt*
606 **CHAMBERLAINS**	WORCESTER Chamberlains von 1840 / *gedruckt*
607 	STOKE-ON-TRENT Mintons Ltd. von 1911 / *gedruckt*
608 	CHANTILLY L. H. prince de Condé 1760—1800 / *blau*

609	*chatillon*	CHATILLON Porzellanmanufaktur nach 1775 / *blau*
610	DtV Chatillon	CHATILLON Porzellanmanufaktur nach 1775 / *blau*
611	Chelfea 1745	CHELSEA N. Sprimont & Ch. Gouyn 1745—1749 / *eingeritzt*
612	Chodau	CHODOV (Chodau) Haas & Czjizek nach 1920 / *eingepreßt*
613	CHODAU H C	CHODOV (Chodau) Haas & Czjizek nach 1920 / *gedruckt*
614	CHODAU H C CZECHOSLOVAKIA	CHODOV (Chodau) Haas & Czjizek nach 1920 / *gedruckt*
615	Porcelit P Chodzież	CHODZIEŻ Fabryka porcelany nach 1882 / *gedruckt*
616	C CHODZIEŻ	CHODZIEŻ Fabryka porcelany nach 1882 / *gedruckt*
617	G F	MANTUA, CANETTO SULL'OGLIO Ceramica Furga nach 1872 / *blau*
618	CL	NIDERVILLER C. F. Lanfrey 1792—1827 / *blau*
619	CL	NIDERVILLER C. F. Lanfrey 1792—1827 / *blau*

620		HOHENBERG C. M. Hutschenreuther 1865 / *gedruckt*
621		ĆMIELÓW Fabryka porcelany 1842—1863 / *blau*
622		NIDERVILLER A. Ph. de Custine 1770—1802 / *blau*
623		NIDERVILLER A. Ph. de Custine 1770—1802 / *blau*
624		COALPORT Coalport China 2. Hälfte 19. Jh. / *blau*
625		COALPORT Coalport China 1. Hälfte 20. Jh. / *gedruckt*
626		COALPORT Coalport China 20. Jh. / *gedruckt*
627		COALPORT Coalport China 20. Jh. / *gedruckt*
628		HANLEY Booths & Colclough Ltd. 20. Jh. / *gedruckt*

629 	HANLEY Booths & Colclough Ltd. 20. Jh. / *gedruckt*
630	HANLEY Booths & Colclough Ltd. 20. Jh. / *gedruckt*
631	LONGTON Collingwood Bros. Ltd. 20. Jh. / *gedruckt*
632	STOKE-ON-TRENT W. T. Copeland 1829 bis 20. Jh. / *blau*
633	STOKE-ON-TRENT W. T. Copeland 1829 bis 20. Jh. / *blau*
634 Copeland late Spode	STOKE-ON-TRENT W. T. Copeland 1847—1867 / *blau*
635	STOKE-ON-TRENT W. T. Copeland nach 1870 / *blau*
636 SPODE COPELANDS CHINA ENGLAND	STOKE-ON-TRENT W. T. Copeland 1847—1867 / *blau*
637 Copeland Stone China	STOKE-ON-TRENT W. T. Copeland 1847—1867 / *blau*
638	STOKE-ON-TRENT W. T. Copeland 20. Jh. / *gedruckt*

639	STOKE-ON-TRENT W. T. Copeland 20. Jh. / *gedruckt*
640	STOKE-ON-TRENT W. T. Copeland & Garrett 1833—1846 / *gedruckt*
641	STOKE-ON-TRENT W. T. Copeland & Garrett 1833—1846 / *gedruckt*
642	STOKE-ON-TRENT W. T. Copeland & Garrett 1833—1846 / *gedruckt*
643	STOKE-ON-TRENT W. T. Copeland & Garrett 1833—1846 / *gedruckt*
644	STOKE-ON-TRENT W. T. Copeland & Garrett 1833—1846 / *gedruckt*
645	STOKE-ON-TRENT W. T. Copeland & Garrett 1833—1846 / *gedruckt*
646	STOKE-ON-TRENT W. T. Copeland & Garrett 1833—1846 / *gedruckt*

647

STOKE-ON-TRENT
W. T. Copeland & Garrett
1833—1846 / *gedruckt*

648

**COPELAND
& GARRETT**

STOKE-ON-TRENT
W. T. Copeland & Garrett
1833—1846 / *gedruckt*

649

COBURG
A. Riemann
nach 1860 / *gedruckt*

650

CREIDLITZ
Porzellanfabrik A. G.
nach 1907 / *gedruckt*

651

crepy

CRÉPY-EN-VALOIS
L. F. Gaignepain & P. Bourgeois
1762—1767 / *eingeritzt*

652

D, C, P_J

CRÉPY-EN-VALOIS
L. F. Gaignepain & P. Bourgeois
1762—1767 / *eingeritzt*

653

c.p.

CRÉPY-EN-VALOIS
L. F. Gaignepain & P. Bourgeois
1762—1767 / *eingeritzt*

**654
655**

PARIS, rue Faubourg St. Denis
Comte d'Artois
1779—1793 / *blau, rot*

656

ĆMIELÓW
Fabryka porcelany
um 1850 / *blau*

657

KOPENHAGEN
Königliche Porzellanmanufaktur
1889 / *grün*

658		KOPENHAGEN Dahl Jensens Porzellanfabrik nach 1925 / *grün*
659		KOPENHAGEN Königliche Porzellanmanufaktur 1897 / *grün*
660		KOPENHAGEN Königliche Porzellanmanufaktur 1923 / *grün*
661		KOPENHAGEN Bing & Grøndahl nach 1854 / *blau*
662		KOPENHAGEN Bing & Grøndahl 1905 / *rot und* *verschiedenfarbig*
663		KOPENHAGEN Bing & Grøndahl 1914 / *rot und* *verschiedenfarbig*
664		SCHWARZA-SAALBAHN E. & A. Müller nach 1890 / *blau*

665	*L. C.* *Ebenstein*	BRÜSSEL L. Cretté 1791—1803 / *blau*
666	*L. cretté* *Brux*	BRÜSSEL L. Cretté 1791—1803 / *rot, braun*
667	*L. c*	BRÜSSEL L. Cretté 1791—1803 / *rot, braun*
668	*L. cretté.* *Bruxelles rue* *D'Aremberg* *1791*	BRÜSSEL L. Cretté 1791—1803 / *rot, braun*
669		COALPORT Caughley, Swansea, Nantgarw nach 1861 / *blau*
670	**C.T.**	WALBRZYCH (Waldenburg) C. Tielsch nach 1845 / *blau*
671	*C.T.*	POTSCHAPPEL C. Thieme nach 1872 / *blau*
672	**C.T.**	WALBRZYCH (Waldenburg) C. Tielsch nach 1845 / *blau*
673	*C.T.*	POTSCHAPPEL C. Thieme 20. Jh. / *gedruckt*

674	WALBRZYCH (Waldenburg) C. Tielsch nach 1845 / *blau*
675	KLOSTER VEILSDORF W. E. von Hildburghausen vor 1765 / *blau*
676	KLOSTER VEILSDORF W. E. von Hildburghausen 1760—1797 / *blau*
677	KLOSTER VEILSDORF W. E. von Hildburghausen 1760—1797 / *blau*
678	OSTROV (Schlackenwerth) Pfeiffer & Löwenstein nach 1918 / *gedruckt*
679	LUNÉVILLE P. L. Cyfflé 1766—1780 / *blau*
680	STARÁ ROLE (Alt-Rohlau) M. Zdekauer nach 1918 / *gedruckt*
681 682	DERBY W. Duesbury & J. Heath 1770—1784 / *gold*
683	DERBY W. Duesbury & J. Heath nach 1750 / *eingeritzt*
684	DERBY W. Duesbury & J. Heath 1770—1784 / *rot, gold*
685	DERBY W. Duesbury & J. Heath 1770—1784 / *gold*

686	DERBY W. Duesbury & J. Heath 1784—1811 / *blau, rot, gold*
687	DERBY W. Duesbury 1784—1810 / *eingeritzt*
688	DERBY W. Duesbury 1784—1810 / *blau, rot*
689	DERBY R. Bloor 1811—1848 / *blau, rot*
690	DERBY W. Duesbury 1784—1810 / *blau, rot*
691	DERBY R. Bloor 1811—1848 / *gedruckt, rot*
692	DERBY Stevenson & Handcock 1850—1870 / *rot*
693	DRESDEN Porzellanfabrik 19. Jh. / *blau*
694	DALOVICE (Dallwitz) V. W. Lorenz 1831—1850 / *eingepreßt*

695	DUISDORF ,,Rhenania" nach 1904 / *gedruckt*
696	BRÜSSEL-ETTERBEEK H. Demeuldre 20. Jh. / *gedruckt*
697	VINOVO G. Balbo um 1800 / *rot, grün*
698	DALOVICE (Dallwitz) V. W. Lorenz 1832—1850 / *eingepreßt*
699	STOKE-ON-TRENT Minton & Boyle 1836—1841 / *gedruckt*
700	COALPORT (COALBROOKDALE) Ende 18. Jh. / *blau*
701	DALOVICE (Dallwitz) V. W. Lorenz 1832—1850 / *eingepreßt*
702	DALOVICE (Dallwitz) V. W. Lorenz 1832—1850 / *eingepreßt*
703	DAMM Steingut- und Porzellanfabrik 1827—1884 / *eingepreßt*

704		KOPENHAGEN Königliche Porzellanfabrik 1894 / grün, blau
705		PARIS, rue de Charonne Darte Frères um 1800 / *rot*
706		PARIS, rue de Charonne Darte Frères um 1800 / *rot*
707		LONGPORT Davenport 1793—1882 / *blau, gedruckt*
708		LONGPORT Davenport 1793—1882 / *blau, gedruckt*
709	DB	WORCESTER Flight & Barr 1792—1807 / *eingeritzt*
710		COALPORT (COALBROOKDALE) um 1850 / *blau*
711 712		PARIS, Clignancourt P. Deruelle 1775—1793 / *rot*
713	$D C, o$	CRÉPY-EN-VALOIS L. Gaignepain & L. Bourgeois 1762—1767 / *blau*
714	$D, C, P,$	CRÉPY-EN-VALOIS L. Gaignepain & L. Bourgeois 1762—1767 / *blau*

715

ARRAS
Delemer
1772—1790 / *blau*

716

KOPENHAGEN
Königliche Porzellanfabrik
1890 / *rot, grün*

717

LONGTON
„Denton China Company"
20. Jh. / *gedruckt*

718

DERBY
A. Planché
1750 / *eingeritzt*

719

DERBY
W. Duesbury
1770—1784 / *rot*

720

DERBY
R. Bloor
1850—1870 / *rot*

721

DERBY
R. Bloor
1811—1849 / *blau, rot*

722

DERBY
R. Bloor
1811—1849 / *rot*

723

DERBY
Locker & Co.
1849—1870 / *rot*

724		DERBY Stevenson, Sharp & Co. 1859 / *rot*
725		DERBY W. Duesbury 1784—1810 / *rot*
726		DERBY W. Duesbury 1784—1810 / *rot*
727		VINOVO Dr. V. A. Gioanetti nach 1780 / *blau*
728	 DH	CHODOV (Chodau) J. Hüttner & Co. 1835—1840 / *eingepreßt*
729		MARKTREDWITZ Jaeger & Co. nach 1872 / *gedruckt*
730		LONGTON A. T. Finney & Sons, Ltd. 20. Jh. / *gedruckt*
731		PARIS, rue de Bondy J. Dihl 1817—1829 / *blau, rot*

732		DERBY W. Duesbury & M. Kean 1795—1796 / *rot, blau*
733		DERBY W. Duesbury & M. Kean 1795—1796 / *rot, blau*
734 735 736		GRÄFENRODA Dornheim, Koch & Fischer nach 1860 / *blau*
737	DILLWYN & Co SWANSEA.	SWANSEA L. W. Dillwyn 1814—1850 / *gedruckt*
738		PAROWA (Tiefenfurth) P. Donath nach 1883 / *gedruckt*
739	*Donovan's* *Irish Manufactur*	DUBLIN Donovan & Son Anf. 19. Jh. / *rot*
740	Donovan's Irish Manufacture	DUBLIN Donovan & Son Anf. 19. Jh. / *rot, violett*
741	**Donovan** **Dublin**	DUBLIN Donovan & Son Anf. 19. Jh. / *rot*
742	￼ DONOVAN 481	DUBLIN Donovan & Son Anf. 19. Jh. / *blau*
743		BURSLEM Doulton & Co. nach 1815 / *gedruckt*

744		BURSLEM Doulton & Co. nach 1815 / *gedruckt*
745		BURSLEM Doulton & Co. nach 1815 / *gedruckt*
746		BURSLEM Doulton & Co. nach 1815 / *gedruckt*
747		DRESDEN Porzellanfabrik 19. Jh. / *blau*
748		KRONACH Ph. Rosenthal & Co. Ende 19. Jh. / *blau*
749		LONGTON Dresden Floral Porcelain Co. von 1945 / *gedruckt*
750		DRESDEN Dresdner Porzellanmanufaktur 20. Jh. / *gedruckt*

751		POTSCHAPPEL C. Thieme nach 1872 / *gedruckt*
752		DRESDEN Dresdner Porzellanmanufaktur 20. Jh. / *gedruckt*
753	W.DUESBURY. 1803.	DERBY W. Duesbury 1893 / *rot* 1803 / *rot*
754		LONGTON A. T. Finney & Sons Ltd. 20. Jh. / *gedruckt*
755		GATESHEAD Durham China Company 20. Jh. / *gedruckt*
756		DUISDORF „Rhenania" nach 1904 / *gedruckt*
757	.D.V.	MENNECY Duc de Villeroy 1740—1773 / *eingeritzt*
758	.D.V.	MENNECY Duc de Villeroy 1734—1740 / *blau und andere Farben*

759	**D.V**	MENNECY Duc de Villeroy 1734—1740 / *blau, rot,* *schwarz, braun*
760	**D.V**	MENNECY Duc de Villeroy 1734—1740 / *blau, rot,* *schwarz, braun*
761	**E**	DUBÍ (Eichwald) Bloch & Co. nach 1871 / *blau*
762	**E** Made in Czechoslovakia	DUBÍ (Eichwald) Bloch & Co. nach 1920 / *blau*
763	ORIGINAL **E.**	DUBÍ (Eichwald) Bloch & Co. um 1900 / *blau*
764	**Ɛ·**	EISENBERG F. A. Reinecke nach 1796 / *blau*
765	**Ɛ** Pellevé 1770	ETIOLLES D. Pellevé um 1770 / *eingeritzt*
766	**ÉB**	PARIS, rue de Crussol E. Blancheron 1792—1807 / *blau*
767	B ✕ S E	EISENBERG Bremer & Schmidt nach 1895 / *gedruckt*
768		DUCHCOV (Dux) E. Eichler nach 1860 / *gedruckt*

769		DUCHCOV (Dux) E. Eichler um 1900 / *gedruckt*
770		BOŽIČANY (Poschetzau) Maier & Co. nach 1890 / *gedruckt*
771		DUBÍ (Eichwald) Bloch & Co. nach 1918 / *gedruckt*
772		DUBÍ (Eichwald) Bloch & Co. nach 1871 / *gedruckt*
773		EISENBERG W. Jäger nach 1867 / *gedruckt*
774		ELGERSBURG E. & F. C. Arnoldi nach 1808 / *gedruckt*
775		MERKLÍN (Merkelsgrün) „Elsa" Porzellan 1900—1918 / *gedruckt*
776		MIDDLETON Porzellanmanufaktur um 1870 / *gedruckt*

777	LONGTON Cartwright & Edwards Ltd. nach 1858 / *gedruckt*
778 **779**	VOLKSTEDT-RUDOLSTADT K. Ens nach 1898 / *gedruckt*
780	DOUBÍ (Aich) „Epiag" nach 1918 / *gedruckt*
781	STARÁ ROLE (Alt-Rohlau) „Epiag" nach 1918 / *gedruckt*
782 	TUŁOWICE (Tillowitz) Reinholdt & Schlegelmilch nach 1869 / *gedruckt*
783	ERBENDORF Ch. Seltmann nach 1940 / *gedruckt*
784 	ERBENDORF Ch. Seltmann nach 1940 / *gedruckt*
785 **786**	WINDISCH-ESCHENBACH O. Schaller & Co. und Nachf. nach 1913 / *gedruckt*
787	STADTLENGSFELD Porzellanfabrik A. G. um 1900 / *gedruckt*

788 *Eterbeek*	BRÜSSEL-ETTERBEEK Ch. Kuhne 1787—1803 / *eingeritzt*
789 *Etiolle x bre 1770 Pelleve*	ETIOLLES D. Pellevé um 1770 / *eingeritzt*
790 **791**	FÜRSTENBERG Karl I. von Braunschweig 1753—1770 / *blau*
792 **793**	FÜRSTENBERG Karl I. von Braunschweig 1770—1800 / *blau*
794	FÜRSTENBERG Herzogliche Porzellanmanufaktur 20. Jh. / *blau*
795	FÜRSTENBERG Herzogliche Porzellanmanufaktur 1800—1860 / *blau*
796	WORCESTER Dr. Wall 1751—1783 / *blau*
797	BOW Th. Frye 1755—1760 / *blau*
798	PARIS, rue de la Paix J. Feuillet nach 1820 / *grün*
799	VOLKSTEDT-RUDOLSTADT E. Bohne 19. Jh. / *blau*
800	FRAUREUTH Römer & Födisch 2. Hälfte 19. Jh. / *blau*

801		FRAUREUTH Römer & Födisch 2. Hälfte 19. Jh. / *blau*
802		KOPENHAGEN Königliche Porzellanmanufaktur (Monogramm Friedrichs V.) 1760—1766 / *blau*
803		MEISSEN Friedrich August III. nach 1733 / *blau*
804		SELB P. Müller (Favorit) 1890—1912 / *gedruckt*
805	**FB**	GRÜNSTADT F. Bartholdi 19. Jh. / *blau*
806		WORCESTER Flight, Barr & Barr 1813—1840 / *gedruckt,* *eingepreßt*
807	FBB	WORCESTER Flight, Barr & Barr 1813—1840 / *eingepreßt*
808		STADTLENGSFELD Porzellanfabrik A. G. nach 1889 / *gedruckt*
809		FULDA Heinrich VIII. von Bibra 1770—1788 / *blau*
810		FULDA Adalbert III. von Harstall 1788—1789 / *blau*

811	**TREVISO** G. & A. Fontebasso um 1800 / *blau*
812	**SAINT-AMAND-LES-EAUX** J. B. Fauquez 1771—1778 / *blau*
813	**DALOVICE (Dallwitz)** Fr. Fischer 1850—1855 / *eingepreßt*
814	**VOLKSTEDT-RUDOLSTADT** F. Greiner 20. Jh. / *gedruckt*
815	**OBERHOHNDORF** F. Kaestner 1883 bis 20. Jh. / *gedruckt*
816	**VALENCIENNES** J. B. Fauquez & Lamoninary 1785—1795 / *blau*
817	**BUDOV (Budau)** Fr. Lang 1840—1860 / *eingepreßt*
818	**WORCESTER** J. & J. Flight 1783—1792 / *blau*
819 820	**WORCESTER** J. & J. Flight 1783—1792 / *rot, blau*
821	**WORCESTER** J. & J. Flight 1783—1792 / *eingepreßt*
822	**WORCESTER** J. & J. Flight 1783—1792 / *blau*

823	*Flight*	WORCESTER Flight & Barr 1792—1807 / *eingepreßt, gedruckt*
824	*Flight Barr & Barr*	WORCESTER Flight, Barr & Barr 1813—1840 / *eingepreßt, gedruckt*
825		WILHELMSBURG Aktiengesellschaft nach 1882 / *gedruckt*
826		STOKE-ON-TRENT Mintons & Hollins 1846—1868 / *gedruckt*
827	F & M	BŘEZOVÁ (Pirkenhammer) Fischer & Mieg 1810—1846 / *eingepreßt*
828		LIMOGES Grellet Frères & Massié 1770—1796 / *blau*
829		FOËCY Familie Pillivuyt nach 1800 / *blau*
830		FOËCY L. Lourioux 2. Hälfte 19. Jh. / *gedruckt*
831		FENTON E. Brain & Co. nach 1880 / *gedruckt*

832	ESTABLISHED 18 (R & S) 50 FOLEY CHINA	FENTON Robinson & Son nach 1850 / *gedruckt*
833		FRAUREUTH Porzellanfabrik nach 1866 / *gedruckt*
834	F P Nd.Salzbrunn	SZCAWIENKO (Nieder- Salzbrunn) Fr. Prause von 1899 / *blau*
835 836	F.P.C. F.P.C.	ĆMIELÓW K. Cybulski 1870—1884 / *schwarz,* *eingepreßt*
837	FPM	GOZDNICA (Freiwaldau) H. Schmidt nach 1842 / *blau*
838		NEAPEL Ferdinand IV. Rex 1772 / *blau*
839	F&R	BŘEZOVÁ (Pirkenhammer) Fischer & Reichenbach 1811—1846 / *eingepreßt*
840	L L FRANCE	FOËCY L. Lourioux 2. Hälfte 19. Jh. / *gedruckt*
841	FRAUREUTH	FRAUREUTH Porzellanfabrik nach 1866 / *gedruckt*
842	FU	DALOVICE (Dallwitz) Fr. Urfus 1855—1875 / *eingepreßt*
843	FURGA	MANTUA, CANETTO SULL'OGLIO Ceramica Furga nach 1872 / *gedruckt*

844		BOW E. Heylyn & Th. Frye 1748—1755 / *blau*
845 846		WERBILIKI F. Gardner 1767—1800 / *blau*
847		GERA J. G. Ehwaldt, J. Gottbrecht & Nachf. 1779—1820 / *blau*
848 849		GOTHA E. Henneberg 1805—1834 / *blau, verschiedenfarbig*
850 851		BERLIN J. E. Gotzkowsky 1761—1763 / *blau, gold*
852		GEHREN J. Günthersfeld & Co. nach 1884 / *gedruckt*
853		DOCCIA Ginori 1884—1888 / *eingepreßt*
854		LE NOVE G. B. Antonibon 1762—1802 / *blau, eingepreßt*
855		PARIS, rue de Bondy Manufacture du duc d'Angoulême 1781—1793 / *rot, gold, blau*

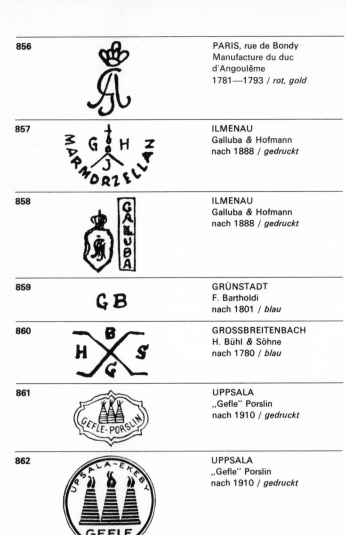

856	PARIS, rue de Bondy Manufacture du duc d'Angoulême 1781—1793 / *rot, gold*
857	ILMENAU Galluba & Hofmann nach 1888 / *gedruckt*
858	ILMENAU Galluba & Hofmann nach 1888 / *gedruckt*
859	GRÜNSTADT F. Bartholdi nach 1801 / *blau*
860	GROSSBREITENBACH H. Bühl & Söhne nach 1780 / *blau*
861	UPPSALA „Gefle" Porslin nach 1910 / *gedruckt*
862	UPPSALA „Gefle" Porslin nach 1910 / *gedruckt*
863	STARÁ ROLE (Alt-Rohlau) Porzellanfabrik „Victoria" A. G. nach 1883 / *gedruckt*

864

GENF
J. P. Mühlhauser
1805—1818 / *blau*

865		**GENF** J. P. Mühlhauser 1805—1818 / *blau*
866 **867**		**GERONA** ,,Cordoba'' 19. Jh. / *blau, rot*
868		**OBERKOTZAU** Greiner & Herda nach 1893 / *gedruckt*
869		**KATOWICE** Giesche Ende 19. Jh. / *blau*
870 **871**	GIESHUEBL GIESSHUBEL 16Ω	**KYSIBL** (Gießhübel) Fr. Lehnert 1840—1847 / *eingepreßt*
872	NGF GIESSHÜBEL	**KYSIBL** (Gießhübel) W. von Neuberg 1846—1902 / *eingepreßt*
873	**GI**	**DOCCIA** Ginori 1868—1903 / *blau*
874 **875**	**GIN GINORI**	**DOCCIA** Ginori 1868—1903 / *eingepreßt*
876		**DOCCIA** Ginori 1884—1901 / *eingepreßt*
877		**MAILAND** Richard—Ginori 1903 / *gedruckt*

878		OESLAU W. Goebel nach 1879 / *gedruckt*
879		GOTHA August von Gotha um 1805 / *blau*
880		GOTHA E. Henneberg Mitte 19. Jh. / *blau*
881		GOTHA Morgenroth & Co. nach 1866 / *gedruckt*
882		GOTHA E. Pfeffer nach 1892 / *blau*
883		UNTERNHAUS Gerarer Porzellanfabrik nach 1780 / *blau*
884		GOTHA E. Pfeffer nach 1892 / *blau*
885	GRAINGER & CO	WORCESTER Grainger & Co. nach 1885 / *blau*
886	Grainger Lee & Co Worcester	WORCESTER Grainger, Lee & Co. nach 1889 / *blau*
887		GRÄFENTHAL Weiss, Kühnert & Co. nach 1891 / *gedruckt*

888		VOLKSTEDT-RUDOLSTADT W. Greiner nach 1799 / *eingepreßt, blau*
889		GUSTAVSBERG Keramische Fabrik 1845—1880 / *gedruckt*
890		GUSTAVSBERG Keramische Fabrik 1866 / *blau*
891		GUSTAVSBERG Keramische Fabrik 1910—1940 / *blau*
892		GUSTAVSBERG Keramische Fabrik 1930 / *gedruckt*
893 894		GUSTAVSBERG Keramische Fabrik 1924 / *gedruckt*
895		GUSTAVSBERG Keramische Fabrik 1928 / *gedruckt*
896		GUSTAVSBERG Keramische Fabrik 1930 / *gedruckt*
897 898		GUSTAVSBERG Keramische Fabrik 1940 / *gedruckt*

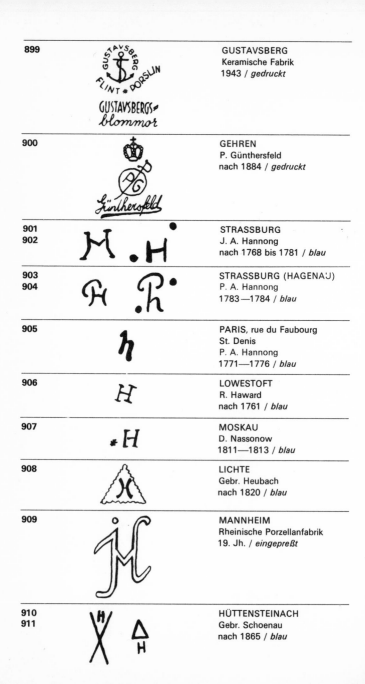

899	**GUSTAVSBERG** Keramische Fabrik 1943 / *gedruckt*
900	**GEHREN** P. Günthersfeld nach 1884 / *gedruckt*
901 **902**	**STRASSBURG** J. A. Hannong nach 1768 bis 1781 / *blau*
903 **904**	**STRASSBURG (HAGENAU)** P. A. Hannong 1783—1784 / *blau*
905	**PARIS, rue du Faubourg** St. Denis P. A. Hannong 1771—1776 / *blau*
906	**LOWESTOFT** R. Haward nach 1761 / *blau*
907	**MOSKAU** D. Nassonow 1811—1813 / *blau*
908	**LICHTE** Gebr. Heubach nach 1820 / *blau*
909	**MANNHEIM** Rheinische Porzellanfabrik 19. Jh. / *eingepreßt*
910 **911**	**HÜTTENSTEINACH** Gebr. Schoenau nach 1865 / *blau*

912		SLAVKOV (Schlaggenwald) A. Haas 1847—1867 / *gedruckt*
913		SLAVKOV (Schlaggenwald) A. Haas 1847—1867 / *gedruckt*
914		SLAVKOV (Schlaggenwald) A. Haas 1847—1867 / *gedruckt*
915	**Haas & Czjžek in Schlaggenwald**	SLAVKOV (Schlaggenwald) Haas & Czjizek nach 1867 / *eingepreßt*
916		HACKEFORS J. O. Nilson nach 1929 / *gedruckt*
917		WORCESTER Hadley nach 1905 / *gedruckt*
918	Haidinger	LOKET (Elbogen) Gebr. Haidinger 1833—1873 / *eingepreßt*
919		LONGTON Hammersley Co. 1860—1870 / *gedruckt*
920	Robt Havard 1761	LOWESTOFT R. Haward nach 1761 / *blau*

921		WALDERSHOF J. Haviland 1907—1924 / *gedruckt*
922		KELSTERBACH Herzog Ludwig VIII. von Hessen-Darmstadt 1767—1768 / *eingepreßt*
923		GROSSBREITENBACH H. Bühl & Söhne nach 1780 / *blau, gedruckt*
924		KASSEL Friedrich II., Landgraf von Hessen-Kassel 1766—1788 / *blau*
925		NEUSTADT Heber & Co. nach 1900 / *gedruckt*
926		LIMOGES Haviland & Co. nach 1797 / *blau*
927		SELB Heinrich & Co. nach 1896 / *gedruckt*
928		KELSTERBACH Herzog Ludwig VIII. von Hessen-Darmstadt 1767—1768 / *blau*
929		KELSTERBACH J. J. Lay 1789—1792 / *eingeritzt*
930		KELSTERBACH Porzellanmanufaktur 1799—1802 / *blau*
931		HELSINKI „Arabia" nach 1948 / *gedruckt*

932		HELSINKI ,,Arabia'' nach 1948 / *gedruckt*
933		HEREND Porzellanfabrik 1855—1898 / *blau*
934		HEREND Porzellanfabrik 1891—1897 / *blau*
935 **936**		HEREND Porzellanfabrik 1939 / *blau*
937		HEREND Porzellanfabrik 1940 / *blau*
938		HEREND Porzellanfabrik 1899—1939 / *blau*
939		HEREND Porzellanfabrik 1897—1938 / *blau*
940		HEREND Porzellanfabrik 1941 / *blau*
941		HEREND Porzellanfabrik 1855—1898 / *blau*

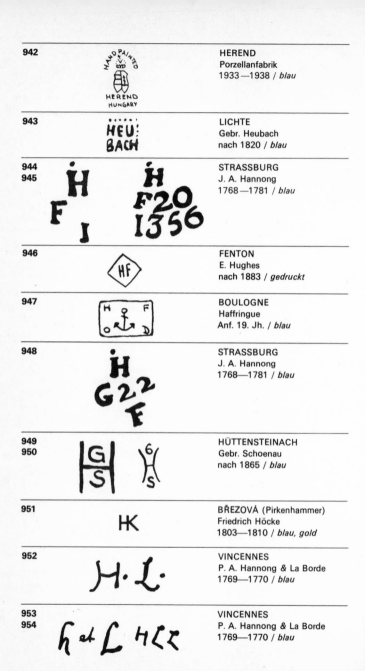

942	**HEREND** Porzellanfabrik 1933—1938 / *blau*
943	**LICHTE** Gebr. Heubach nach 1820 / *blau*
944 **945**	**STRASSBURG** J. A. Hannong 1768—1781 / *blau*
946	**FENTON** E. Hughes nach 1883 / *gedruckt*
947	**BOULOGNE** Haffringue Anf. 19. Jh. / *blau*
948	**STRASSBURG** J. A. Hannong 1768—1781 / *blau*
949 **950**	**HÜTTENSTEINACH** Gebr. Schoenau nach 1865 / *blau*
951	**BŘEZOVÁ** (Pirkenhammer) Friedrich Höcke 1803—1810 / *blau, gold*
952	**VINCENNES** P. A. Hannong & La Borde 1769—1770 / *blau*
953 **954**	**VINCENNES** P. A. Hannong & La Borde 1769—1770 / *blau*

955		LETTIN H. Baensch Anf. 20. Jh. / *gedruckt*
956		KOPENHAGEN J. J. Holm um 1780 / *eingepreßt*
957		LONGTON Hudson & Middleton nach 1870 / *gedruckt*
958		KOPENHAGEN J. J. Holm um 1780 / *eingepreßt*
959		PROBSTZELLA H. Hutschenreuther nach 1886 / *gedruckt*
960		VIERZON Hachez & Pépin um 1879 / *blau*
961		HOHENBERG C. M. Hutschenreuther 1828—1845 / *eingepreßt*
962		HOHENBERG C. M. Hutschenreuther und Nachf. 1890 / *gedruckt*
963		HOHENBERG Hutschenreuther 1914 / *gedruckt*
964		HOHENBERG Hutschenreuther 1914 / *gedruckt*

965

HOHENBERG
Hutschenreuther
1914 / *gedruckt*

966
967

ŽLUTICE (Lubenz)
H. Reinl
nach 1846 / *gedruckt*

968

UNTERWEISSBACH
H. Schaubach
nach 1880 / *gedruckt*

969

LANE END
Hilditsch & Son
nach 1830 / *blau*

970

SELB
L. Hutschenreuther
1856—1920 / *gedruckt*

971

HÜTTENSTEINACH
Gebr. Schoenau
nach 1865 / *blau*

972

BOW
W. Duesbury
1760—1776 / *blau*

973

ILMENAU
Chr. Nonne
um 1800 / *blau*

974		ILMENAU Chr. Nonne 1792—1808 / *blau*
975		SHELTON J. & W. Ridgeway bis 1830 / *blau*
976		ILMENAU Porzellanfabrik A. G. 1871—1945 / *gedruckt*
977		ILMENAU Porzellanfabrik A. G. 1877—1945 / *blau*
978		ILMENAU Porzellanmanufaktur um 1790 / *blau*
979		ILMENAU Porzellanmanufaktur vor 1785 / *blau*
980		FRANKENTHAL J. A. Hannong 1759—1762 / *blau*
981		BAYREUTH Zeichen des Malers J. A. Fichthorn 1742—1752 / *blau*
982 983		EISENBERG W. Jäger nach 1867 / *blau*

984	J B H F	FRÝDLANT (Friedland) J. E. Heintschel nach 1869 / *blau*
985	J. G Wien	WIEN J. Goldschneider nach 1882 / *blau*
986 **987**	iH Jl	FRANKENTHAL J. A. Hannong 1759—1762 / *eingepreßt*
988	JM	STRASSBURG P. A. Hannong 1783—1784 / *eingepreßt*
989	J.H.S.	KÖPPELSDORF J. Hering & Sohn nach 1893 / *gedruckt*
990	JLMENAU	ILMENAU Porzellanfabrik A. G. 1871—1945 / *gedruckt*
991	JLMENAU Gia von Henneberg-Porzellan 1777	ILMENAU Porzellanfabrik A. G. 1871—1945 / *gedruckt*
992	J L V	VILLEDIEU-SUR-INDRE J. Lang nach 1882 / *gedruckt*
993	M	PARIS, Clignancourt J. Moitte 1789—1798 / *blau*

994		FONTAINEBLEAU Jacob Petit nach 1834 / *blau*
995		SCHÖNWALD J. N. Müller nach 1879 / *blau*
996		ILMENAU Ilmenauer Porzellanfabrik A. G. 1871—1945 / *gedruckt*
997		LIMOGES J. Pouyat nach 1842 / *blau*
998 **999**		ILMENAU Porzellanfabrik 1871—1945 / *gedruckt*
1000 **1001**		CLUJ (Klausenburg) „Iris" Porzellan nach 1922 / *gedruckt*
1002		VOHENSTRAUSS J. Seltmann nach 1910 / *gedruckt*
1003 **1004**		ZOFIÓWKA (Charlottenbrunn) J. Schachtel nach 1859 / *gedruckt*

1005	ITALY New Stone G. RICHARD & C.	MAILAND G. Richard & Co. 1870—1873 / *gedruckt*
1006		KLÁŠTEREC (Klösterle) M. Weber 1794—1798 / *blau, rot*
1007		KLÁŠTEREC (Klösterle) Gräfliche Thun'sche Porzellanmanufaktur 1804—1830 / *blau, gold*
1008		KLÁŠTEREC (Klösterle) M. Weber 1794—1798 / *blau*
1009		KORZEC M. Mezer nach 1803 / *rot*
1010		KORZEC M. Mezer nach 1803 / *blau, eingepreßt*
1011		LAUF Fr. Krug nach 1871 / *gedruckt*
1012		LOKET (Elbogen) H. Kretschmann um 1900 / *gedruckt*
1013		OBERHOHNDORF F. Kaestner nach 1883 / *gedruckt*

1014

KAHLA
Porzellanfabrik
nach 1844 / *gedruckt*

1015

EISENBERG
Porzellanfabrik Kalk GmbH.
nach 1900 / *gedruckt*

1016

RYBÁŘE (Fischern)
C. Knoll
Mitte 19. Jh. / *gedruckt*

1017

RYBÁŘE (Fischern)
Karlsbader Porzellanfabrik
Anf. 20. Jh. / *gedruckt*

1018

RYBÁŘE (Fischern)
Karlsbader Porzellanfabrik
1900—1910 / *gedruckt*

1019

RYBÁŘE (Fischern)
Karlsbader Porzellanfabrik
1. Hälfte 20. Jh. / *gedruckt*

1020

RYBÁŘE (Fischern)
Karlsbader Porzellanfabrik
1939—1945 / *gedruckt*

1021

RYBÁŘE (Fischern)
Karlsbader Porzellanfabrik
um 1910 / *gedruckt*

1022	RYBÁŘE (Fischern) Karlsbader Porzellanfabrik Anf. 20. Jh. / *gedruckt*
1023	KARLSKRONA Karlskrona Porslinsfabrik nach 1918 / *gedruckt*
1024 	UPPSALA Karlskrona Porslinsfabrik nach 1945 / *gedruckt*
1025	KATZHÜTTE J. W. Hamann 19. Jh. / *gedruckt*
1026	KATZHÜTTE Hertwig & Co. nach 1945 / *gedruckt*
1027	WORCESTER Kerr & Binns 1852—1862 / *gedruckt*
1028	OHRDRUF Kestner & Co. 20. Jh. / *gedruckt*
1029 	MEISSEN Königl. Hofconditorei Warschau 1713—1806 / *verschieden- farbig*

1030	LANGEWIESEN O. Schlegelmilch nach 1842 / *gedruckt*
1031	KOPENHAGEN Bing & Grøndahl nach 1905 / *gedruckt*
1032	KLENEČ (Klentsch) A. Schmidt 1835—1889 / *eingepreßt*
1033	BYSTŘICE (Wistritz) Krantzberger, Mayer & Purkert nach 1911 / *gedruckt*
1034	JAWORZYNA ŚLĄSKA (Königszelt) Porzellanfabrik nach 1860 / *gedruckt*
1035	JAWORZYNA ŚLĄSKA (Königszelt) Porzellanfabrik nach 1860 / *gedruckt*
1036	CHODOV (Chodau) J. Hüttner & Co. 1835—1840 / *eingepreßt*
1037	KÖPPELSDORF J. Hering & Sohn nach 1893 / *gedruckt*
1038	KORZEC Mérault & Petion 1822 / *rot*
1039	KORZEC Mérault & Petion 1830 / *rot*

1040		KORZEC M. Mezer Anf. 19. Jh. / *rot*
1041 **1042**	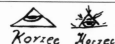	KORZEC M. Mezer Anf. 19. Jh. / *rot*
1043		KORZEC F. Mezer 1793—1814 / *blau*
1044		KORZEC F. Mezer 1. Hälfte 19. Jh. / *gold*
1045		EISENBERG Porzellanfabrik Kalk GmbH nach 1900 / *gedruckt*
1046		MEISSEN Königliche Porzellanmanufaktur von 1722 / *blau*
1047		MEISSEN Königliche Porzellanmanufaktur 1723—1724 / *blau*
1048		MEISSEN Königliche Porzellanmanufaktur 1723—1724 / *blau*
1049	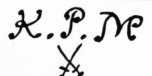	MEISSEN Königliche Porzellanmanufaktur 1723—1724 / *blau*

1050	BERLIN Königliche Porzellanmanufaktur 1823—1832 / *blau*
1051	WALBRZYCH (Waldenburg) Krister Porzellanmanufaktur 1831—1945 / *gedruckt*
1052	WALBRZYCH (Waldenburg) Krister Porzellanmanufaktur bis 1945 / *gedruckt*
1053	BERLIN Königliche Porzellanmanufaktur 1844—1847 / *blau*
1054	BERLIN Königliche Porzellanmanufaktur von 1857 / *blau*
1055	SCHEIBE-ALSBACH A. W. Fr. Kister nach 1837 / *blau*
1056	SCHEIBE-ALSBACH A. W. Fr. Kister nach 1831 / *blau*
1057	WALBRZYCH (Waldenburg) Krister Porzellanmanufaktur nach 1900 / *blau*
1058 1059	WALBRZYCH (Waldenburg) Krister Porzellanmanufaktur nach 1831 / *blau*
1060	BERLIN Königliche Porzellanmanufaktur 1837—1844 / *blau*

1061		WALBRZYCH (Waldenburg) Krister Porzellanmanufaktur 19. Jh. / *blau*
1062		SELB Krautheim & Adelberg nach 1884 / *gedruckt*
1063		SELB Krautheim & Adelberg nach 1884 / *gedruckt*
1064		BYSTŘICE (Wistritz) Krantzberger, Mayer & Purkert nach 1911 / *gedruckt*
1065		LANDSTUHL Krister Porzellanmanufaktur nach 1952 / *gedruckt*
1066		KRONACH Stockhardt & Schmidt — Eckert nach 1912 / *gedruckt*
1067 **1068**		BLANKENHAIN E. Krüger nach 1847 / *gedruckt*
1069		PAROWA (Tiefenfurth) K. Steinmann GmbH 1883—1932 / *gedruckt*

1070	WALBRZYCH (Waldenburg) Krister Porzellanmanufaktur 19. Jh. / *blau*

1071	LUDWIGSBURG Ludwig Eugen, Herzog von Württemberg 1793—1795 / *blau*

1072 1073 1074	LILLE Leperre - Durot 1784—1817 / *blau*

1075	ORLÉANS Benoist Le Brun 1806—1812 / *rot*

1076 1077	SCHORNDORF Bauer & Pfeiffer 1904—1939 / *gedruckt*

1078	PARIS, Gros Caillou J. Jacquemart (L. Broillet) 1765—1773 / *blau*

1079	VALENCIENNES J. B. Fauquez & Lamoninary 1785—1795 / *blau*

1080 1081 1082	PARIS, rue de Reuilly J. J. Lassia 1774—1784 / *rot, gold*

1083	PASSAU Familie Lenck 2. Hälfte 19. Jh. / *gedruckt*

1084	LIMBACH G. Greiner 1772—1787 / *blau*

1085	VALENCIENNES J. B. Fauquez & Lamoninary 1785—1795 / *blau*

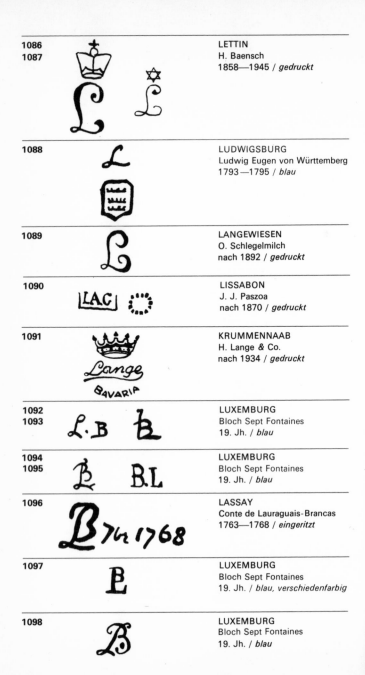

1086 **1087**	**LETTIN** H. Baensch 1858—1945 / *gedruckt*
1088	**LUDWIGSBURG** Ludwig Eugen von Württemberg 1793—1795 / *blau*
1089	**LANGEWIESEN** O. Schlegelmilch nach 1892 / *gedruckt*
1090	**LISSABON** J. J. Paszoa nach 1870 / *gedruckt*
1091	**KRUMMENNAAB** H. Lange & Co. nach 1934 / *gedruckt*
1092 **1093**	**LUXEMBURG** Bloch Sept Fontaines 19. Jh. / *blau*
1094 **1095**	**LUXEMBURG** Bloch Sept Fontaines 19. Jh. / *blau*
1096	**LASSAY** Conte de Lauraguais-Brancas 1763—1768 / *eingeritzt*
1097	**LUXEMBURG** Bloch Sept Fontaines 19. Jh. / *blau, verschiedenfarbig*
1098	**LUXEMBURG** Bloch Sept Fontaines 19. Jh. / *blau*

1099		LUXEMBURG
		Bloch Sept Fontaines
		19. Jh. / *eingepreßt*

1100		LASSAY
1101		Conte de lauraguais-Brancas
		1763—1768 / *eingeritzt*

1102		LIMBACH
		G. Greiner
		1762—1787 / *eingeritzt*

1103		LIMBACH
		G. Greiner
		1762—1787 / *blau*

1104		ORLÉANS
		Benoist Le Brun
		1806—1812 / *blau*

1105		BRÜSSEL
1106		L. Cretté
		1791—1803 / *blau*

1107		BRÜSSEL
		L. Cretté
		1791—1803 / *blau*

1108		BRÜSSEL
		L. Cretté
		1791—1803 / *blau*

1109		BRÜSSEL
		L. Cretté
		1791—1803 / *blau*

1110		DERBY
		Royal Crown Porcelain Co.
		von 1876 / *gedruckt*

1111		LETTIN H. Baensch nach 1858 / *blau*
1112		LETTIN Porzellanfabrik nach 1945 / *gedruckt*
1113 **1114**		LETTIN H. Baensch nach 1858 / *blau*
1115		KAHLA C. A. Lehmann & Sohn nach 1895 / *gedruckt*
1116		LICHTE Gebr. Heubach nach 1820 / *blau*
1117		SLAVKOV (Schlaggenwald) J. Lippert & A. Haas 1830—1846 / *eingepreßt*
1118		SELB L. Hutschenreuther nach 1920 bis 1938 / *gedruckt*
1119		STARÁ ROLE (Alt-Rohlau) J. Schneider & Co. nach 1904 / *blau*

1120 	**LILLE** Leperre-Durot 1784—1817 / *blau, rot, gold*
1121	**LIMBACH** Familie Greiner 1882 / *gedruckt*
1122 **1123**	**LIMBACH** Familie Greiner 1882 / *gedruckt*
1124 	**LIMOGES** Königl. Porzellanmanufaktur J. F. Alluaud 1788—1793 / *blau*
1125	**LIMOGES** Königl. Porzellanmanufaktur 1784—1796 / *blau, rot, gold*
1126	**LIMOGES** J. Pouyat nach 1842 / *grün*
1127	**LIMBACH** G. Greiner 1772—1787 / *blau*
1128	**LIMBACH** G. Greiner 1772—1787 / *blau*

1129	*porcelaine royalle de Limoges* G D	**LIMOGES** Königl. Porzellanmanufaktur Comte d' Artois 1771 —1784 / *blau, rot, gold* *eingeritzt*
1130	LIMOGES B & Cⁱᵉ FRANCE	**LIMOGES** H. A. Balleroy Frères 19. Jh. / *blau*
1131	LIMOGES J·B & Cⁱᵉ FRANCE	**LIMOGES** J. Balleroy & Co. 19. Jh. / *blau*
1132	B & C° LIMOGES (FRANCE)	**LIMOGES** L. Bernardaux & Co. nach 1863 / *blau*
1133	B & Co LIMOGES FRANCE	**LIMOGES** L. Bernardaux & Co. nach 1863 / *gedruckt*
1134	LIMOGES BRP FRANCE	**LIMOGES** Beulé, Reboisson & Parot 19. Jh. / *blau, gedruckt*
1135	PORCELAINE ARTISTIQUE BARBOTINE DE LIMOGES F. M. GRAND FEU	**LIMOGES** Fontanille & Marraud nach 1925 / *gedruckt*
1136	PORCELAINE ARTISTIQUE F. M. LIMOGES FRANCE MADE IN Fⁱ LIMOGES M FRANCE	**LIMOGES** Fontanille & Marraud 19. Jh. / *gedruckt*
1137	FRANCE M DE M LIMOGES	**LIMOGES** Granger & Co. 19. Jh. / *gedruckt*

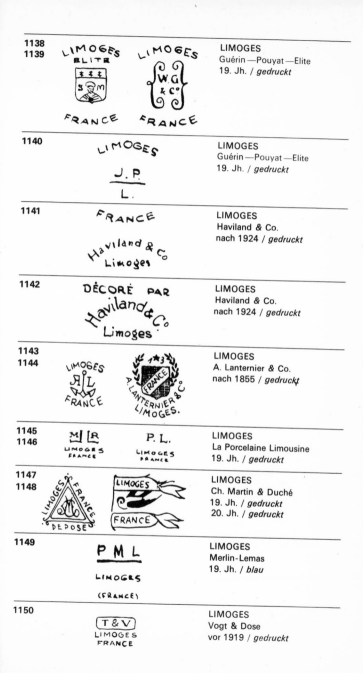

1138 **1139**	LIMOGES Guérin —Pouyat —Elite 19. Jh. / *gedruckt*
1140	LIMOGES Guérin —Pouyat —Elite 19. Jh. / *gedruckt*
1141	LIMOGES Haviland & Co. nach 1924 / *gedruckt*
1142	LIMOGES Haviland & Co. nach 1924 / *gedruckt*
1143 **1144**	LIMOGES A. Lanternier & Co. nach 1855 / *gedruckt*
1145 **1146**	LIMOGES La Porcelaine Limousine 19. Jh. / *gedruckt*
1147 **1148**	LIMOGES Ch. Martin & Duché 19. Jh. / *gedruckt* 20. Jh. / *gedruckt*
1149	LIMOGES Merlin-Lemas 19. Jh. / *blau*
1150	LIMOGES Vogt & Dose vor 1919 / *gedruckt*

1151		LIMOGES Raynaud & Co. nach 1919 / *gedruckt*
1152		LIMOGES Raynaud & Co. 1919 / *gedruckt*
1153		LIMOGES Rousset & Guillerot 20. Jh. / *gedruckt*
1154		LIMOGES Société porcelainière de Limoges 20. Jh. / *gedruckt*
1155		LIMOGES Fabrique de Porcelaines Blanches et Décorées Anciens Ets. nach 1908 / *gedruckt*
1156		LIMOGES Touze, Lemaître Frères & Blancher 19. Jh. / *gedruckt*
1157 1158		LIMOGES Union Céramique 19. Jh. / *gedruckt*
1159 1160		LIMOGES Union Limousine nach 1908 / *gedruckt*
1161		LIMOGES A. Vignaud nach 1911 / *gedruckt*

1162		LIMOGES Villegoureix 19. Jh. / *gedruckt*
1163	VIGNAUD LIMOGES	LIMOGES A. Vignaud nach 1911 / *blau*
1164	LIMOGES & Co FRANCE	LIMOGES Villegoureix 19. Jh. / *gedruckt*
1165	*Lippert & Haas in Schlaggenwald*	SLAVKOV (Schlaggenwald) J. Lippert & A. Haas 1830—1846 / *eingepreßt*
1166	*Lippert et Haas in Schlaggenwald*	SLAVKOV (Schlaggenwald) J. Lippert & A. Haas 1830—1846 / *gedruckt*
1167	LISBOA 1793	LISSABON J. M. Perreira Ende 18. Jh. / *gold, rot*
1168		LIMOGES Manufacture de Porcelaines Ets. Legrand 19. Jh. / *gedruckt*
1169		LIMBACH G. Greiner 1772—1787 / *blau*
1170 1171		VINCENNES Königliche Porzellanmanufaktur 1740—1752 / *blau*
1172		VINCENNES Königliche Porzellanmanufaktur 1740—1752 / *blau*

1173	VINCENNES
	Königliche Porzellanmanufaktur
	1740—1752 / *blau*

1174	VINCENNES
	Königliche Porzellanmanufaktur
	1740—1752 / *gold*

1175	VINCENNES
	Königliche Porzellanmanufaktur
	1753—1756 / *blau*

1176	VINCENNES
	Königliche Porzellanmanufaktur
	1754 / *blau*

1177	VINCENNES
	Königliche Porzellanmanufaktur
	1755 / *blau*

1178	VINCENNES
	Königliche Porzellanmanufaktur
	1740—1752 / *blau*

1179	VINCENNES
	Königliche Porzellanmanufaktur
	1753—1756 / *blau*

1180	SÈVRES
	Königliche Porzellanmanufaktur
	1778 / *blau, verschiedenfarbig*

1181	SÈVRES
	Königliche Porzellanmanufaktur
	1756 / *blau, verschiedenfarbig*

1182	SÈVRES Königliche Porzellanmanufaktur 1769—1793 / *blau,* *verschiedenfarbig*
1183	COALPORT Nachahmung der Marke von Sèvres 1860—1880 / *blau*
1184	FOËCY L. Lourioux 19. Jh. / *gedruckt*
1185	FENTON E. Hughes nach 1883 / *gedruckt*
1186	LONGTON Hammersley & Co. um 1900 / *gedruckt*
1187	LOWESTOFT R. Allen nach 1802 / *blau*
1188	LOWESTOFT James & Mary Curtis nach 1757 bis 1771 / *schwarz*
1189	VINCENNES Louis-Philippe de Chartres 1777—1788 / *blau*
1190	PARIS, rue Amelot unter dem Protektorat Louis-Philippe, des Herzogs von Orléans 1786—1793 / *blau*

1187 A Trefle From LOWESTOFT

1188 James & Mary Curtis Lowestoft

1191		ORLÉANS Benoist Le Brun 1806—1812 / *rot*
1192		VINCENNES Louis-Philippe de Chartres 1777—1788 / *blau*
1193		BORDEAUX Lahens & Rateau nach 1819 / *blau*
1194		LA SEYNIE Marquis de Beaupoil & Co. 1774—1789 / *blau, rot*
1195		LA SEYNIE E. Baignol 1789—1856 / *blau, rot*
1196		LA SEYNIE E. Baignol 1789—1856 / *blau, rot*
1197		VENDRENNES M. Lozelet nach 1800 / *blau*
1198		LUBARTÓW Graf H. Lubieński 1840—1850 / *eingepreßt*
1199		LUBARTÓW Graf H. Lubieński 1840—1850 / *eingepreßt*
1200		LUBARTÓW Graf H. Lubieński 1840—1850 / *eingepreßt*
1201		PODBOŘANY (Podersam) „Alp" Porzellanfabrik GmbH 1920—1941 / *gedruckt*

1202		SCHORNDORF Bauer & Pfeiffer 1904—1939 / *gedruckt*
1203		VINOVO G. Lormello 1815—1820 / *blau*
1204		VALENCIENNES Lamoninary 1800—1810 / *blau, rot,* *braun, schwarz*
1205		VALENCIENNES Lamoninary 1800—1810 / *blau, rot,* *braun, schwarz*
1206		SCHORNDORF Bauer & Pfeiffer 1904—1939 / *gedruckt*
1207		SCHORNDORF Bauer & Pfeiffer 1904—1939 / *gedruckt*
1208		FLORENZ Francesco II. Medici 1578—1587 / *blau*
1209		VOLKSTEDT-RUDOLSTADT G. H. Macheleid 1760—1762 / *violett*
1210		PARIS, Clignancourt Fabrique de Monsieur 1775—1793 / *rot*

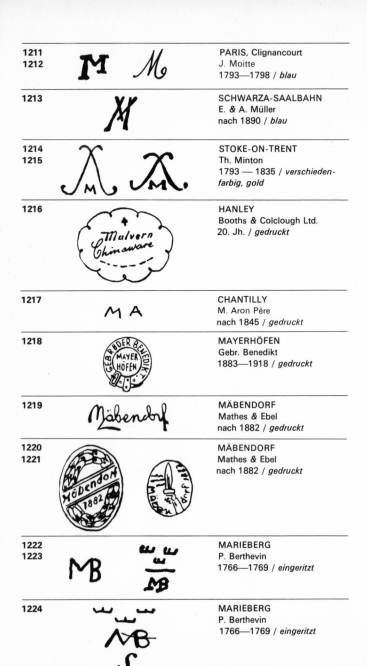

1211 1212	PARIS, Clignancourt J. Moitte 1793—1798 / *blau*
1213	SCHWARZA-SAALBAHN E. & A. Müller nach 1890 / *blau*
1214 1215	STOKE-ON-TRENT Th. Minton 1793 — 1835 / *verschieden- farbig, gold*
1216	HANLEY Booths & Colclough Ltd. 20. Jh. / *gedruckt*
1217	CHANTILLY M. Aron Père nach 1845 / *gedruckt*
1218	MAYERHÖFEN Gebr. Benedikt 1883—1918 / *gedruckt*
1219	MÄBENDORF Mathes & Ebel nach 1882 / *gedruckt*
1220 1221	MÄBENDORF Mathes & Ebel nach 1882 / *gedruckt*
1222 1223	MARIEBERG P. Berthevin 1766—1769 / *eingeritzt*
1224	MARIEBERG P. Berthevin 1766—1769 / *eingeritzt*

1225	**MB**	MARIEBERG H. Sten — J. Dortu 1777—1778 / *blau*
1226		ELGERSBURG E. & F. C. Arnoldi nach 1808 / *blau*
1227		HOHENBERG C. M. Hutschenreuther 1860 / *eingepreßt*
1228 **1229**		LA MONCLOA Königliche Porzellanmanufaktur 1817—1850 / *rot*
1230	MEHUN C P & Cᵒ FRANCE DÉPOSE	MEHUN-SUR-YÈVRE Pillivuyt & Co. nach 1853 / *blau*
1231	MEISSEN	DUBÍ (Eichwald) Dr. Widera & Co. Meißen- imitation mit Zwiebelmuster 19. bis 20. Jh. / *blau*
1232		KÖNITZ Gebr. Metzel nach 1909 / *blau*
1233	**M G**	HLUBANY (Lubau) Gebr. Martin nach 1874 / *blau*
1234		KÖNITZ Gebr. Metzel 1909—1950 / *blau*
1235		KÖNITZ Gebr. Metzel 1909—1950 / *blau*

1236		MAILAND S. Richard nach 1883 / *blau*

1237		DELFT Ary de Milde Ende 17. Jh. / *eingepreßt*

1238 1239		STOKE-ON-TRENT Th. Minton Nachf. 1941 / *gedruckt*

1240		HANLEY ,,Blue Mist'' 20. Jh. / *gedruckt*

1241 1242		MITTERTEICH Porzellanfabrik nach 1917 / *gedruckt*

1243		MITTERTEICH Porzellanfabrik nach 1917 / *gedruckt*

1244		SÈVRES Zeit des Konsulats 1803—1804 / *rot, gedruckt*

1245		ILMENAU Gebr. Metzler & Ortloff nach 1875 / *blau*
1246		PARIS, rue Amelot Manufacture du Duc d'Orléans (J. B. Outrequin) 1786—1793 / *rot, gold*
1247		MOABIT M. Schuman & Sohn 1835 / *blau*
1248	M: OL .	OUDE LOOSDRECHT J. de Mol 1771—1784 / *eingeritzt*
1249	M:OL.	OUDE LOOSDRECHT J. de Mol 1771—1784 / *schwarz,* *verschiedenfarbig*
1250	M: oL	OUDE LOOSDRECHT J. de Mol 1771—1784 / *schwarz,* *verschiedenfarbig*
1251	M.O.L ✳	OUDE LOOSDRECHT Manufaktur Oude Loosdrecht nach 1784 / *blau, gold*
1252	M:OL.	OUDE LOOSDRECHT J. de Mol 1771—1784 / *eingepreßt*
1253	MoL Lm3	OUDE LOOSDRECHT J. de Mol 1771—1784 / *violett*
1254	M.oL —–– N°10	OUDE LOOSDRECHT J. de Mol 1771—1784 / *blau, eingepreßt*
1255	M:oL	OUDE LOOSDRECHT J. de Mol 1771—1784 / *eingepreßt*

1256	M:oL (with A above)	OUDE LOOSDRECHT J. de Mol 1771—1784 / *blau*
1257	M·OL L 27	OUDE LOOSDRECHT J. de Mol 1771—1784 / *gold, violett*
1258	M: o: L 87	OUDE LOOSDRECHT Manufaktur Oude Loosdrecht nach 1784 / *blau*
1259	M O Moitte	PARIS, Clignancourt J. Moitte 1793—1798 / *blau*
1260 **1261**	M O I (crossed hammers) M&O (crown above)	ILMENAU Gebr. Metzler & Ortloff nach 1875 / *gedruckt*
1262	MONCLOA (crown above)	LA MONCLOA Königliche Porzellanmanufaktur 1817—1850 / *eingepreßt*
1263	MOSA MAASTRICHT (FABRIEKSMERK)	MAASTRICHT L. Regout & Zonen nach 1883 / *gedruckt*
1264	PM (wreath, crown above) Moschendorf BAVARIA	HOF-MOSCHENDORF O. Reinecke nach 1878 / *gedruckt*
1265 **1266**	MP· MP	ETIOLLES J. B. Monier & D. Pellevé 1768—1770 / *eingeritzt*
1267	M.P.M.	MEISSEN Meißner Porzellanmanufaktur nach 1722 / *blau*

1268		**MAASTRICHT** Manufaktur Porselein Mosa nach 1883 / *gedruckt*
1269		**BAYREUTH** S. P. Meyer nach 1900 / *gedruckt*
1270		**VOLKSTEDT-RUDOLSTADT** Müller & Co. nach 1907 / *gedruckt*
1271		**WOLOKITINO** A. Miklaszewski 1820—1864 / *gedruckt*
1272 **1273**		**NEAPEL** Königliche Porzellanmanufaktur 1771—1834 / *blau, eingepreßt*
1274 **1275**		**NEAPEL** Königliche Porzellanmanufaktur 1771—1834 / *blau,* *eingepreßt*
1276		**NEAPEL** Königliche Porzellanmanufaktur 1771—1834 / *blau*
1277		**SÈVRES** Zeit des II. Kaiserreichs 1852—1870 / *rot*
1278		**DOCCIA** Abgüsse von Modellen aus Capodimonte 1850—1903 / *blau*

1279 1280		LE NOVE Familie Antonibon Ende 18. bis 19. Jh. / *eingeritzt*
1281		NIDERVILLER A. Ph. de Custine & C F. Lanfrey 1780—1800 / *schwarz*
1282		SHELTON, NEW HALL New Hall China Factory 1781—1825 / *blau*
1283 1284		ALT-HALDENSLEBEN Nathusius nach 1826 / *blau*
1285		VOLKSTEDT-RUDOLSTADT E. Bohne & Söhne 1854—1900 / *blau*
1286		VOLKSTEDT-RUDOLSTADT K. Ens nach 1898 / *blau*
1287		MEISSEN Königliche Porzellanmanufaktur Numerierung weißen Porzellans bis zur Nr. 68 vor 1725 / *blau*
1288		CHELSEA Porzellanfabrik 19. Jh. / *eingepreßt*
1289		NANTGARW W. Billingsley & S. Walker 1813—1822 / *blau*
1290		NANTGARW W. Billingsley & S. Walker 1813—1822 / *eingepreßt*

1291	**NAST.**	PARIS, rue Popincourt J. N. H. Nast 1782—1835 / *rot, gold*
1292	**NAST** **A** **PARIS**	PARIS, rue Popincourt J. N. H. Nast 1782—1835 / *rot, gold*
1293		COALPORT Coalport, Nantgarw, Swansea 1861 / *gold*
1294		SHELTON, NEW HALL Hollins & Warburton um 1800 / *gedruckt*
1295		VOLKSTEDT-RUDOLSTADT K. Ens nach 1898 / *blau*
1296		LUNÉVILLE P. L. Cyfflé 1769—1780 / *blau*
1297 1298	**N.G.** **N.G.F.**	KYSIBL (Giesshübel) W. von Neuberg 1847—1902 / *eingepreßt*
1299	*Nider*	NIDERVILLER A. Ph. de Custine — C. F. Lanfrey 1780—1800 / *schwarz*
1300	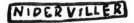	NIDERVILLER A. Ph. de Custine — C. F. Lanfrey Ende 18. Jh. / *eingepreßt*
1301	*Niderviller*	NIDERVILLER A. Ph. de Custine — C. F. Lanfrey 1780—1800 / *schwarz*

1302	LE NOVE
Nove	Familie Antonibon
✳	von 1781 / *gold*

1303	LE NOVE
Nove (mirrored)	Familie Antonibon
Nove	1763—1773 / *Relief*

1304	LE NOVE
·Nove	Familie Antonibon
	von 1781 / *eingeritzt*

1305	LE NOVE
G.B.	G. Baroni
NOVE	1802—1825 / *verschieden-farbig*

1306	LE NOVE
NOVE	G. Baroni
✳	1802—1825 / *eingepreßt*

1307	LE NOVE
No: ue	G. B. Antonibon
G·B·A·B:	von 1762 / *gold, verschiedenfarbig*

1308	LE NOVE
Nove	Familie Antonibon
AntonioBon	1762—1802 / *rot*

1309	LE NOVE
Fabbrica Baroni	G. Baroni
Nove.	1802—1825 / *blau*

1310	GB NOVE	LE NOVE G. Baroni 1802—1825 / *blau*
1311		NOVI SAD Fabrika porculana nach 1922 / *gedruckt*
1312	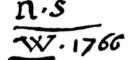	STARÁ ROLE (Alt-Rohlau) A. Nowotny 1838—1884 / *eingepreßt*
1313	N&R	ILMENAU Chr. Nonne & K. Roesch 1808—1871 / *gedruckt*
1314	.N.S.	OTTWEILER Herzog von Nassau-Saarbrücken 1763—1794 / *blau, gold*
1315		OTTWEILER Herzog von Nassau-Saarbrücken (Direktor H. Wagner) 1766 / *eingeritzt*
1316		STARÁ ROLE (Alt-Rohlau) O. & E. Gutherz 1899—1918 / *gedruckt*
1317		OHRDRUF Baehr & Proeschild nach 1871 / *gedruckt*
1318		OISSEL La Ceramique „Normande" 20. Jh. / *gedruckt*

1319		ORLÉANS G. d'Aureaubert 1753—1783 / *blau*
1320		BOURG-LA-REINE J. Jullien & S. Jacques 1773—1804 / *gedruckt*
1321		TRIPTIS Triptis A. G. Porzellanfabrik nach 1891 / *gedruckt*
1322		TRIPTIS Triptis A. G. Porzellanfabrik nach 1891 / *gedruckt*
1323 **1324**		PRAHA (Prag) K. Kriegel & Co. nach 1837 / *eingepreßt*
1325		KORZEC Merault & Petion 1815—1829 / *blau*
1326		KORZEC Petion 1815—1829 / *blau, rot,* *gold, eingepreßt*
1327		LORIENT Charey, Sauvageau & Hervé um 1800 / *blau*
1328 **1329**		PINXTON W. Billingsley & J. Coke 1796—1813 / *rot*
1330		ETIOLLES D. Pellevé 1768—1770 / *eingeritzt*
1331		KOWARY (Schmiedeberg) Gebr. Pohl nach 1871 / *blau*

1332		PROBSTZELLA H. Hutschenreuther nach 1886 / *gedruckt*
1333		HELSINKI „Arabia" nach 1948 / *gedruckt*
1334		ILMENAU A. Fischer nach 1907 / *gedruckt*
1335	*Palme*	ŠELTY (Schelten) J. Palme nach 1829 / *eingepreßt*
1336	PALME	ŠELTY (Schelten) J. Palme nach 1829 / *gedruckt*
1337		ŠELTY (Schelten) J. Palme 1851—1860 / *gedruckt*
1338		LONGTON Paragon China Ltd. nach 1919 / *gedruckt*
1339		PARIS, rue du Petit Carrousel Ch. B. Guy 1789—1800 / *rot, gold*
1340		PARIS, rue Thiroux Guy & Housel 1797—1798 / *rot*

| 1341 | MANUFRE de MGRle Duc d'angouleme a Paris | PARIS, rue de Bondy
Manufacture du duc
d'Angoulême
1781—1793 / *rot* |

| 1342 | MANUFRe de MM Guerhard et Dihla Paris | PARIS, rue de Bondy
Dihl & Guerhard
1793—1817 / *rot* |

| 1343 | MANUFRE DE PORCELAINE DU CEr NAST A PARIS | PARIS, rue Popincourt
J. N. H. Nast
1782—1835 / *eingeritzt* |

| 1344 | **PB** | PARIS, rue de Crussol
Ch. Potter & Blancheron
1792 bis Anf. 19. Jh. / *blau* |

| 1345 | | IRÚN
Luso Espagnola de Porcelanas
Fabrica de Bidosa
nach 1935 / *gedruckt* |

| 1346 | | CREIDLITZ
Porzellanfabrik A. G.
nach 1907 / *gedruckt* |

| 1347 | c P G | PARIS, rue du Petit Carrousel
Ch. B. Guy
1789—1800 / *rot, gold* |

| 1348 | | GOTHA
E. Pfeffer
nach 1892 / *gedruckt* |

| 1349 | | GEHREN
Porzellanfabrik Günthersfeld
A. G.
nach 1884 / *gedruckt* |

| 1350 | P H | STRASSBURG
Paul A. Hannong
1751—1754 / *eingeritzt, blau* |

1351	**PH**	STRASSBURG Paul A. Hannong 1751—1754 / *eingepreßt*
1352	**H·**	STRASSBURG (HAGENAU) Peter A. Hannong 1783—1784 / *blau*
1353	**H· L**	STRASSBURG (HAGENAU) Peter A. Hannong 1783—1784 / *eingeritzt*
1354 1355	**PHF** **PH F**	FRANKENTHAL Paul A. Hannong 1755—1759 / *eingepreßt*

1356	PICKMAN Y.CA. CHINA OPACA SEVILLA	SEVILLA „La Cartuja"; de Aponte, Pickmann & Co. nach 1867 / *gedruckt*

1357	PICKMANN Y C CHINA OPACA	SEVILLA „La Cartuja"; de Aponte, Pickmann & Co. nach 1867 / *gedruckt*

1358		FOËCY C. H. Pillivuyt 2. Hälfte 19. Jh. / *gedruckt*

C. H. PILLIVUYT
& Cie Paris.
PARIS. FOESCY. MEHUN.

1359		MEHUN-SUR-YÈVRE C. H. Pillivuyt nach 1858 / *gedruckt*

1360	PINK ·Vogue· BONE CHINA MADE IN ENGLAND	HANLEY Booths & Colclough Ltd. 19. Jh. / *gedruckt*

1361	BŘEZOVÁ (Pirkenhammer) ,,Epiag'' 1918—1938 / gedruckt
1362	KORZEC Petion 1815—1828 / rot
1363	PARIS, rue Amelot Manufacture du duc d'Orléans 1786—1793 / blau
1364	KRUMMENNAAB Illinger & Co. nach 1931 / gedruckt
1365	OBLANOV (Kaltenhof) J. Dietel 1918—1938 / gedruckt
1366	STADTLENGSFELD Porzellanfabrik A. G. nach 1889 / gedruckt
1367	PLANKENHAMMER Gebr. Fross nach 1908 / gedruckt
1368	LONGTON R. H. Plant & Co. nach 1880 / gedruckt
1369	OSTROV (Schlackenwerth) Pfeiffer & Löwenstein 20. Jh. / gedruckt
1370 PLS	OSTROV (Schlackenwerth) Pfeiffer & Löwenstein 20. Jh. / gedruckt

1371		HOF MOSCHENDORF O. Reinecke nach 1878 / *gedruckt*
1372		BOŽIČANY (Poschetzau) Maier & Co. 1938—1945 / *gedruckt*
1373		OBERKOTZAU Neuerer K. G. nach 1943 / *gedruckt*
1374		PONTENX De Rosly 1779—1790 / *blau*
1375		POTSCHAPPEL C. Thieme nach 1872 / *gedruckt*
1376		POTSCHAPPEL C. Thieme nach 1872 / *gedruckt*
1377		PARIS, rue de Crussol Manufacture du Prince de Galles (Chr. Potter) 1789—1792 / *blau*
1378		GOZDNICA (Freiwaldau) H. Schmidt 20. Jh. / *gedruckt*

1379		PLANKENHAMMER Porzellanfabrik nach 1908 / *gedruckt*
1380 **1381**	PRAG K&C PRAG	PRAHA (Prag) K. Kriegel & Co. nach 1837 / *eingepreßt*
1382	Prag	PRAHA (Prag) K. Kriegel & Co. nach 1837 / *eingepreßt*
1383	P & S	CHODOV (Chodau) Portheim & Sohn um 1870 / *eingepreßt*
1384		POTSCHAPPEL C. Thieme nach 1872 / *blau*
1385	P S	ŻARY (Sorau) C. & E. Carstens nach 1918 / *gedruckt*
1386	RT A-G	STADTLENGSFELD Porzellanfabrik A. G. nach 1889 / *gedruckt*
1387	Puls	OSTROV (Schlackenwerth) Pfeiffer & Löwenstein 1. Hälfte 20. Jh. / *gedruckt*
1388	PR	FRANKENTHAL P. van Recum 1795 / *blau*
1389	P.Y.C 72	SEVILLA „La Cartuja"; de Aponte, Pickmann & Co. nach 1867 / *gedruckt*

1390	GUTENBRUNN (Zweibrücken) Christian IV. von Pfalz-Zwei- brücken 1768—1775 / *blau*
1391	LONGTON Shore & Coggins Ltd. 19. Jh. / *gedruckt*
1392	STARÁ ROLE (Alt-Rohlau) A. Nowotny 1838—1884 / *eingepreßt*
1393 1394	LUDWIGSBURG Fridericus Rex 1806—1816 / *rot, gold*
1395	FRANKENTHAL P. van Recum 1797—1799 / *blau*
1396	RAUENSTEIN Gebr. Greiner nach 1783 / *blau*
1397	VOLKSTEDT-RUDOLSTADT Holzapfel & Greiner 1799—1817 / *blau*
1398	VOLKSTEDT-RUDOLSTADT Holzapfel & Greiner 1799—1817 / *blau*
1399	GOTHA W. von Rothberg 1757—1783 / *blau*
1400	GOTHA Ch. Schultz, Gabel & Brehm 1783—1805 / *blau*

1401 **1402**	MARSEILLE J. G. Robert 1773—1793 / *blau, rot, schwarz, gold*
1403	RÖRSTRAND Porzellanfabrik 20. Jh. / *blau*
1404	MAILAND G. Richard 1842—1860 / *blau*
1405	MAILAND G. Richard um 1850 / *blau*
1406	MAILAND G. Richard 1870 / *blau*
1407	MAILAND G. Richard 1860—1870 / *blau*
1408	MAILAND G. Richard um 1870 / *blau*
1409 **1410**	SAINT-UZE G. Revol Père & Fils nach 1780 / *blau*
1411	MITTERTEICH J. Rieber nach 1868 / *gedruckt*

1412		MITTERTEICH J. Rieber nach 1868 / *gedruckt*

CAMBRIDGE
Ivory

1413		ROSCHÜTZ Unger & Schilde 1821 / gedruckt

1414		ROSCHÜTZ Unger & Schilde und Nachf. 20. Jh. / *gedruckt*

1415		KOWARY (Schmiedeberg) Gebr. Pohl nach 1871 / *gedruckt*

1416		FENTON S. Radford Ltd. nach 1883 / *gedruckt*

RADFORDS
BONE CHINA
FENTON
STOKE-ON-TRENT

1417		FENTON S. Radford Ltd. nach 1883 / *gedruckt*

RADFORDS
CROWN CHINA
MADE IN
ENGLAND

1418		LONGTON Hall Bros. Ltd. nach 1947 / *gedruckt*

RADNOR
BONE CHINA
ENGLAND

1419		SELB Rosenthal A. G. 1891—1907 / *gedruckt*

1420		STOKE-ON-TRENT Mintons & Hollins 1867 / *gedruckt*
1421		TURIN G. G. Rosetti nach 1742 / *blau*
1422 **1423**		SÈVRES Zeit der I. Republik 1793—1800 / *blau*
1424		FRANKENTHAL J. N. van Recum 1797—1799 / *blau*
1425		CHODOV (Chodau) Richter, Falke & Hahn nach 1882 / *gedruckt*
1426		CHODOV (Chodau) Richter, Falke & Hahn 1918—1945 / *gedruckt*
1427		CHODOV (Chodau) Richter, Falke & Hahn 1918—1945 / *gedruckt*
1428		LA MONCLOA Ferdinand VII. von Spanien 1817—1850 / *blau*
1429		EISENBERG F. A. Reinecke nach 1796 / *blau*

1430		GOTHA Chr. Schultz & Co. 1783—1805 / *blau*
1431 **1432**		MAILAND G. Richard 1860 / *blau*
1433		MAILAND G. Richard 1842 / *blau*
1434		DOCCIA G. Richard nach 1896 / *gedruckt*
1435		RAUENSTEIN Gebr. Greiner 1783 bis 19. Jh. / *blau,* *eingepreßt*
1436	G. RICHARD SON BARONA	MAILAND G. Richard 1847 / *gedruckt*
1437	JULIUS RICHARD & C S. CRISTOFORO	MAILAND G. Richard 1850—1860 / *gedruckt*
1438		MAILAND G. Richard 1885 / *gedruckt*
1439		MAILAND G. Richard 1868—1881 / *gedruckt*
1440		MAILAND G. Richard 1883 / *gedruckt*

1441		SHELTON J. & W. Ridgeway nach 1853 / *gedruckt*
1442		GRÜNLAS R. Kampf nach 1911 / *gedruckt*
1443		SELB L. Hutschenreuther nach 1856 / *gedruckt*
1444		RAUENSTEIN Gebr. Greiner 1800—1850 / *blau*
1445		RAUENSTEIN Gebr. Greiner nach 1850 / *blau*
1446		STARÁ ROLE (Alt-Rohlau) A. Nowotny 1838—1884 / *gedruckt*
1447		STARÁ ROLE (Alt-Rohlau) A. Nowotny 1838—1884 / *eingepreßt*
1448		COALPORT (Coalbrookdale) J. Rose & Co. um 1850 / *gedruckt*
1449		SELB Rosenthal A. G. nach 1908 / *gedruckt*
1450		KRONACH Rosenthal & Co. 1933—1953 / *gedruckt*

1451		SELB Rosenthal A. G. nach 1867 / *gedruckt*
1452		ROSSLAU H. Schomburg & Söhne 19. Jh. / *gedruckt*
1453		RÖRSTRAND Herzog Karl nach 1809 / *blau*
1454		RÖRSTRAND Porzellanfabrik 1838—1840 / *eingepreßt*
1455		RÖRSTRAND Porzellanfabrik Mitte 19. Jh. / *gedruckt*
1456		RÖRSTRAND Porzellanfabrik 1852 / *blau, gold*
1457		RÖRSTRAND Porzellanfabrik 1857—1860 / *braun*
1458		RÖRSTRAND Porzellanfabrik von 1870 / *verschiedenfarbig*

1459		GRÜNLAS R. Kampf von 1911 / *gedruckt*
1460		MANNHEIM Rheinische Porzellanfabrik nach 1910 / *gedruckt*
1461 **1462**		SUHL E. Schlegelmilch nach 1861 / *gedruckt*
1463 **1464**		TUŁOVICE (Tillowitz) R. Schlegelmilch nach 1869 / *gedruckt*
1465		FENTON S. Radford Ltd. nach 1883 / *gedruckt*
1466		TURIN G. G. Rosetti Mitte 18. Jh. / *blau*
1467		SCHORNDORF C. M. Bauer & Pfeiffer 1904 / *gedruckt*
1468	ROYAL-STONE G. RICHARD & C.	MAILAND G. Richard 1870—1873 / *gedruckt*

1469	ROZENBURG Porzellanfabrik 1885—1905 / *gedruckt*
1470 **1471**	SLAVKOV (Schlaggenwald) J. J. Paulus — L. Greiner 1793—1812 / *blau*
1472	SLAVKOV (Schlaggenwald) J. J. Lippert & V. Haas 1810—1820 / *gold*
1473	SLAVKOV (Schlaggenwald) J. J. Lippert & V. Haas 1810—1820 / *blau*
1474	SLAVKOV (Schlaggenwald) J. J. Lippert & V. Haas 1810—1820 / *eingepreßt*
1475 **1476**	PARIS, rue de le Roquette Souroux nach 1773 / *blau, rot*
1477	CAUGHLEY Th. Turner nach 1783 / *blau*
1478 **1479**	SCHNEY E. Liebmann nach 1800 / *blau*
1480	SCHEIBE-ALSBACH A. W. Fr. Kister nach 1834 / *blau*
1481	SAINT-VALLIER M. Montagne nach 1830 / *gedruckt*

1482	GOTHA Gebr. Simson nach 1883 / *gedruckt*
1483	KÖPPELSDORF-NORD Swaine & Co. nach 1854 / *gedruckt*
1484	SITZENDORF Gebr. Voigt nach 1856 / *gedruckt*
1485	SELB Staatliche Porzellanmanufaktur Berlin nach 1763 / *blau*
1486 **1487**	PAROWA (Tiefenfurth) P. Donath nach 1883 / *gedruckt*
1488	SAINT-AMAND-LES-EAUX J. B. Fauquez Ende 18. Jh. / *blau*
1489	LONGTON Salisbury China Ende 19. Jh. / *gedruckt*
1490	LONGTON Salopian Warehouse nach 1783 / *gedruckt*
1491	CAUGHLEY Th. Turner, Salopian China nach 1783 / *gedruckt*

1492

SARGADELOS
L. de la Riva & Co.
nach 1867 / *gedruckt*

1493

FRAUREUTH
Porzellanfabrik
nach 1866 / *gedruckt*

1494

SAINT-CLOUD
P. Chicaneau
um 1677 / *blau*

1495
1496

SCHWARZENBACH
O. Schaller & Co.
nach 1882 / *gedruckt*

1497

ARZBERG
C. Schumann
nach 1881 / *gedruckt*

1498

SCHWARZENHAMMER
Schumann & Schreider
nach 1905 / *gedruckt*

1499

WALLENDORF
H. Schaubach
nach 1926 / *gedruckt*

1500 1501		SCHIRNDING Porzellanfabrik nach 1907 / *gedruckt*
1502		SCHIRNDING Porzellanfabrik nach 1907 / *gedruckt*
1503		SLAVKOV (Schlaggenwald) J. Lippert & A. Haas 1830—1846 / *gedruckt*
1504		SLAVKOV (Schlaggenwald) A. Haas 1843—1867 / *gedruckt*
1505	SCHLAGGENWALD	SLAVKOV (Schlaggenwald) Haas & Czjizek nach 1867 / *gedruckt*
1506		SLAVKOV (Schlaggenwald) J. Lippert & A. Haas 1830—1846 / *eingepreßt*
1507		SLAVKOV (Schlaggenwald) Haas & Czjizek 1918—1938 / *gedruckt*
1508 1509		SLAVKOV (Schlaggenwald) Haas & Czjizek 20. Jh. / *gedruckt*
1510		SLAVKOV (Schlaggenwald) Haas & Czjizek 20. Jh. / *gedruckt*

1511

OSTROV (Schlackenwerth)
Pfeiffer & Löwenstein
20. Jh. / *gedruckt*

1512

LANGEWIESEN
O. Schlegelmilch
nach 1892 / *gedruckt*

1513

SCHLOTTENHOF
Porzellanfabrik
nach 1893 / *gedruckt*

1514

PARIS, rue du Faubourg
St. Denis
Soelcher
1800—1828 / *rot*

1515

SAINT-CLOUD
H. & G. Trou
1722—1766 / *blau*

1516

ARZBERG
C. Schumann
nach 1881 / *gedruckt*

1517

SCHWARZENHAMMER
Schumann & Schreider
nach 1905 / *gedruckt*

1518

WEISSWASSER
A. Schwaig
nach 1895 / *gedruckt*

1519		KÖPPELSDORF-NORD Gebr. Schoenau, Swaine & Co. nach 1854 / *gedruckt*
1520		MAILAND G. Richard 1874 / *gedruckt*
1521		SELB Gräf & Krippner um 1900 / *gedruckt*
1522		SELB Gräf & Krippner um 1900 / *gedruckt*
1523		SELB Heinrich & Co. nach 1896 / *gedruckt*
1524		SELB Heinrich & Co. 1904 / *gedruckt*
1525		SELB Heinrich & Co. 1911 / *gedruckt*
1526		SELB Heinrich & Co. 1905 / *gedruckt*
1527		SELB Heinrich & Co. 1914 / *gedruckt*

1528		SELB P. Müller 1928—1943 / *gedruckt*
1529		SELB L. Hutschenreuther 1858—1920 / *gedruckt*
1530		SELB P. Müller 1912—1924 / *gedruckt*
1531		MITTERTEICH J. Richter & Co. 20. Jh. / *gedruckt*
1532		SÈVRES Zeit des Konsulats 1803—1804 / *gold,* *verschiedenfarbig*
1533		BOCK-WALLENDORF Fasold & Stauch nach 1903 / *gedruckt*
1534		GOZDNICA (Freiwaldau) H. Schmidt 20. Jh. / *blau*
1535		LONGTON Shelley Potteries 1867 / *gedruckt*
1536 **1537**		JAWORZYNA ŚLĄSKA (Königszelt) Porzellanfabrik nach 1860 / *gedruckt*

1538		PAROWA (Tiefenfurth) K. Steinmann GmbH nach 1883 / *gedruckt*
1539		SELB Krautheim & Adelberg GmbH nach 1884 / *gedruckt*
1540		SLAVKOV (Schlaggenwald) Sommer & Matschak nach 1904 / *gedruckt*
1541		LANGEWIESEN O. Schlegelmilch nach 1892 / *gedruckt*
1542		SOPHIENTHAL Thomas & Co. nach 1928 / *gedruckt*
1543		ŻARY (Sorau) C. & E. Carstens nach 1918 / *gedruckt*
1544		ŠELTY (Schelten) J. Palme nach 1829 / *blau, eingepreßt*
1545		SELB P. Müller nach 1890 / *blau*
1546		SPECHTSBRUNN Porzellanfabrik nach 1911 / *gedruckt*

1547 **1548**		STOKE-ON-TRENT J. Spode um 1790 / *gedruckt*
1549		STOKE-ON-TRENT J. Spode um 1800 / *gedruckt*
1550		STOKE-ON-TRENT J. Spode 1800—1833 / *gedruckt*
1551		STOKE-ON-TRENT J. Spode 1800—1833 / *gedruckt*
1552		STOKE-ON-TRENT J. Spode um 1833 / *gedruckt*
1553		KRONACH Stockhardt & Eckert - Schmidt nach 1912 / *gedruckt*
1554		SAINT-CLOUD P. Chicaneau um 1677 / *blau*
1555		PARIS, rue St.-Merry Stone, Coquerel & Legros 1807—1849 / *blau*
1556 **1557**		STANOWICE (Stanowitz) C. Walter & Co. nach 1873 / *blau*
1558		FENTON Crown Staffordshire China nach 1808 / *gedruckt*

1559		FENTON A. Bowker 19. Jh. / *gedruckt*
	STAFFORDSHIRE FINE BONE CHINA OF ARTHUR BOWKER	
1560		FENTON Crown Staffordshire China 19. Jh. / *gedruckt*
1561		FENTON Crown Staffordshire China 20. Jh. / *gedruckt*
1562		LONGTON Royal Staffordshire China nach 1843 / *gedruckt*
1563		LONGTON Th. Poole & Gladstone nach 1843 / *gedruckt*
1564		LONGTON Chapmans Ltd. nach 1916 / *gedruckt*
1565 **1566**		LONGTON C. Amison & Co. um 1900 / *gedruckt* nach 1875 / *gedruckt*

1567

PAROWA (Tiefenfurth)
C. H. Tupack
nach 1808 / *gedruckt*

1568

SAARGEMÜND
Utzschneider & Co.
nach 1775 / *blau*

1569
1570
1571

SUHL
E. Schlegelmilch
nach 1861 / *blau*

1572
1573

LIMOGES
Porcelaine de Casseaux
20. Jh. / *gedruckt*

1574

SCHWARZA-SAALBAHN
E. & A. Müller
nach 1890 / *gedruckt*

1575

KÖPPELSDORF-NORD
Gebr. Schoenau, Swaine & Co.
nach 1854 / *gedruckt*

1576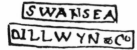

SWANSEA
L. W. Dillwyn
1814—1830 / *eingepreßt*

1577

SWANSEA
L. W. Dillwyn
1814—1830 / *blau*

1578

SWANSEA
L. W. Dillwyn
1814—1870 / *blau*

1579	RUDOLSTADT L. Straus & Söhne nach 1882 / *gedruckt*
1580 **1581**	SCHWARZENHAMMER Schumann & Schreider nach 1905 / *gedruckt*
1582	SCEAUX De Bay — J. Chapelle 1763—1795 / *eingeritzt*
1583	LONGTON J. Shaw & Sons 20. Jh. / *gedruckt*
1584 **1585** **1586**	TETTAU G. Ch. Greiner nach 1794 / *blau*
1587 	TETTAU G. Ch. Greiner nach 1794 / *blau*
1588	ZWICKAU Chr. Fischer nach 1850 / *blau*
1589 **1590**	ŽDANOV (Tannawa) F. J. Mayer 1840—1880 / *eingepreßt*
1591	FRANKENTHAL Karl Theodor von der Pfalz 1762—1797 / *blau*

1592		FRANKENTHAL A. Bergdoll 1762—1775 / *blau*

1593 1594		FRANKENTHAL Karl Theodor von der Pfalz 1770—1789 / *blau*

1595		VOLKSTEDT-RUDOLSTADT Porzellanfabrik 20. Jh. / *gedruckt*

1596		WALBRZYCH (Waldenburg) C. Tielsch nach 1895 / *gedruckt*

1597		LENÉVILLE P. L. Cyfflé „Terre de Lorraine" Ende 18. Jh. / *blau*

1598		TETTAU Königliche Porzellanmanufaktur nach 1885 / *gedruckt*

1599		TETTAU Königliche Porzellanmanufaktur nach 1885 / *gedruckt*

1600		TETTAU Gerold & Co. nach 1904 / *gedruckt*

1601		TETTAU Gerold & Co. nach 1904 / *gedruckt*
1602		TETTAU Gerold & Co. nach 1904 / *gedruckt*
1603		LIMOGES C. Tharaud nach 1919 / *gedruckt*
1604		MARKTREDWITZ F. Thomas 1903—1908 / *gedruckt*
1605		TUŁOWICE (Tillowitz) R. Schlegelmilch nach 1869 / *gedruckt*
1606 **1607** **1608**	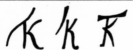	KLÁŠTEREC (Klösterle) Gräfliche Thun'sche Porzellanfabrik 1804—1830 / *blau, gold*
1609		KLÁŠTEREC (Klösterle) Gräfliche Thun'sche Porzellanfabrik 1830—1893 / *eingepreßt*
1610		KLÁŠTEREC (Klösterle) Gräfliche Thun'sche Porzellanfabrik nach 1893 / *gedruckt*
1611		ZWICKAU Chr. Fischer nach 1850 / *blau*

1612		TOMASZÓW Fr. Mezer 1806 / *blau*
1613		TOMASZÓW Fr. Mezer 1808 / *schwarz*
1614		TOMASZÓW Fr. Mezer 1808 / *schwarz*
1615		TOMASZÓW Fr. Mezer 1806—1827 / *gold*
1616		TOMASZÓW Fr. Mezer 1806—1827 / *gold*
1617		TETTAU Gerold & Co. nach 1904 / *gedruckt*
1618		POTSCHAPPEL C. Thieme 1872 / *blau*
1619		PAROWA (Tiefenfurth) P. Donath nach 1883 / *blau*
1620		LONGTON Trentham Bone China Ltd. 20. Jh. / *gedruckt*

1621 	**TREVISO** Gebr. Fontebasso 1799 / *blau*
1622 **1623** G.A.F.F G.A.F.F. Treviso Treviso.	**TREVISO** Gebr. Fontebasso Anf. 19. Jh. / *blau*
1624	**TRIPTIS** Porzellanfabrik A. G. nach 1891 / *gedruckt*
1625 	**COALPORT** W. Taylor um 1820 / *blau*
1626	**POTSCHAPPEL** C. Thieme nach 1872 / *blau*
1627	**UPPSALA** Ekeby Aktiebolag von 1918 / *gedruckt*
1628 U D	**DALOVICE (Dallwitz)** Fr. Urfus 1855—1875 / *eingepreßt*
1629 	**UHLSTÄDT** C. Alberti nach 1837 / *gedruckt*
1630	**ULM** J. J. Schmidt 1827—1833 / *blau*

1631		UNTERKÖDITZ Moeller & Dippe nach 1846 / *gedruckt*
1632		SAINT-UZE G. Revol Père & Fils nach 1857 / *gedruckt*
1633 **1634**		VENEDIG N. Fr. Hewelcke 1761—1763 / *eingeritzt, rot*
1635		VINOVO Dr. V. A. Gioanetti nach 1780 / *blau*
1636		VINOVO Dr. V. A. Gioanetti nach 1780 / *eingeritzt*
1637		VENEDIG N. Fr. Hewelcke 1757—1765 / *rot, gold*
1638		VISTA ALEGRE J. Ferreira Pinto Basto 1824—1840 / *blau*
1639 **1640**		VISTA ALEGRE J. Ferreira Pinto Basto nach 1840 / *blau*
1641		BORDEAUX M. Vanier 1788—1790 / *blau, rot, gold*
1642		SAINT-VALLIER L. Boissonnet 20. Jh. / *gedruckt*

1643		VINOVO Dr. V. A. Gioanetti um 1800 / *blau*
1644		VENEDIG Fr. & G. Vezzi 1720—1727 / *blau*
1645		VENEDIG Fr. & G. Vezzi 1720—1727 / *blau*
1646		VENEDIG Fr. & G. Vezzi 1720—1727 / *rot, blau, gold*
1647		VENEDIG Fr. & G. Vezzi 1720—1727 / *blau, eingeritzt*
1648		VENEDIG Fr. & G. Vezzi 1720—1727 / *rot, blau, grün*
1649		ILMENAU Greiner und Nachf. 20. Jh. / *gedruckt*
1650		VENEDIG Fr. & G. Vezzi 1720—1727 / *blau*
1651 **1652**		LAVENO Societá Ceramica Italiana 20. Jh. / *gedruckt*
1653 **1654**		KLOSTER VESSRA Porzellanfabrik 1892 / *gedruckt*

| 1655 | | VINOVO
Fornari
19. Jh. / *blau* |

1655 V.F

VINOVO
Fornari
19. Jh. / *blau*

1656
1657

STARÁ ROLE (Alt-Rohlau)
Porzellanfabrik Victoria A. G.
nach 1883 / *gedruckt*

1658

HOF MOSCHENDORF
O. Reinecke
nach 1878 / *gedruckt*

1659

LONGTON
Cartwight & Edwards Ltd.
nach 1851 / *gedruckt*

1660

SHELTON
J. & W. Ridgeway
1850—1858 / *gedruckt*

1661
1662

COBRIDGE
Viking Pottery Co.
1936 / *gedruckt*

1663

villers Cottereti

CHANTILLY
Willers Cotterets
1770—1785 / *blau*

1664

Virlembergia
Kunst.

SCHORNDORF
Bauer & Pfeiffer
1904 / *gedruckt*

| 1665 | Porcelana de 1850 Vista Alegre em Portugal | VISTA ALEGRE J. Ferreira Pinto Basto 1850 / *blau* |

| 1666 | Vista Alegre Est. 1824 | VISTA ALEGRE J. Ferreira Pinto Basto 20. Jh. / *gedruckt* |

| 1667 1668 | | VOHENSTRAUSS J. Seltmann nach 1901 / *gedruckt* |

| 1669 | | VOLKSTEDT-RUDOLSTADT K. Ens nach 1898 / *gedruckt* |

| 1670 | BAVARIA Johann Seltmann Vohenstrauß | VOHENSTRAUSS J. Seltmann 20. Jh. / *gedruckt* |

| 1671 | VoloKitine miKlachefsKy | WOLOKITINO A. Miklaszewski 19. Jh. / *rot* |

| 1672 | V.P. | CHODOV (Chodau) Porges von Portheim nach 1845 / *eingepreßt* |

| 1673 | V P | VOLKSTEDT-RUDOLSTADT R. Eckert & Co. nach 1895 / *gedruckt* |

1674		FRANKENTHAL J. N. van Recum 1797—1799 / *blau*
1675		BERLIN W. C. Wegely 1751—1757 / *blau, eingepreßt,* *eingeritzt*
1676		BERLIN W. C. Wegely 1751—1757 / *blau, eingepreßt*
1677 **1678**		WÜRZBURG C. Geyger 1775—1780 / *eingepreßt*
1679 **1680**		BORDEAUX P. & J. Verneuilh 1781—1787 / *blau, gold, rot*
1681 **1682** **1683**		WORCESTER Dr. J. Wall 1751—1783 / *blau*
1684		LONGTON HALL W. Littler 1753—1760 / *blau*
1685		LOWESTOFT Kopien von Porzellan aus Worcester Ende 18. Jh. / *blau*
1686 **1687**		WALLENDORF J. W. Hamann und G. & J. Greiner 1764—1800 / *blau*
1688		WALLENDORF J. W. Hamann 1764—1778 / *blau*
1689		WEISSWASSER A. Schweig nach 1895 / *gedruckt*

1690	VISCHE L. Birago 1766—1768 / *eingepreßt*
1691	HORY (Horn) H. Wehinger & Co. 1905 / *eingepreßt*
1692	WALLENDORF H. Schaubach nach 1926 / *gedruckt*
1693	BYSTŘICE (Wistritz) Krantzberger, Mayer & Purkert nach 1911 / *gedruckt*
1694	LIPPELSDORF Wagner & Apel nach 1877 / *gedruckt*
1695	TRNOVANY (Turn) E. Wahliss vor 1918 / *gedruckt*
1696	MARKTREDWITZ Fr. Neukirchner nach 1916 / *gedruckt*
1697	WALDERSHOF Porzellanfabrik 1907—1924 / *gedruckt*

1698		WALDSASSEN Bareuther nach 1866 / *gedruckt*
1699		WEINGARTEN R. Wohlfinger nach 1882 / *gedruckt*
1700 **1701**		WEIDEN Gebr. Bauscher nach 1881 / *gedruckt*
1702		BLANKENHAIN C. & A. Carstens nach 1790 / *gedruckt*
1703		BLANKENHAIN C. & A. Carstens nach 1790 / *gedruckt*
1704		WEISSENSTADT Dürbeck und Ruckdäschel nach 1920 / *gedruckt*
1705		WEISSWASSER A. Schweig nach 1895 / *gedruckt*
1706		OESLAU W. Goebel nach 1879 / *gedruckt*
1707		ELGERSBURG E. & F. C. Arnoldi nach 1808 / *blau*

1708	WALDERSHOF
	J. Haviland
	nach 1907 / *gedruckt*

1709	WIEN-AUGARTEN
	Porzellanfabrik
	nach 1922 / *blau*

1710	WILHELMSBURG
	Porzellanfabrik
	nach 1882 / *gedruckt*

1711	WEIDEN
	Ch. Seltmann
	nach 1911 / *gedruckt*

1712	WOLOKITINO
	A. Miklaszewski
	19. Jh. / *rot*

MANUFACTURE À. WOLOKITIN: G & Tchernigow A.D'Miklachefsky

1713	WORCESTER
	R. Holdship
	1751 / *gedruckt*

Worcester

1714	WEINGARTEN
	R. Wohlfinger
	nach 1882 / *gedruckt*

PW

1715	SCHORNDORF
	Porzellanmanufaktur
	1904—1939 / *gedruckt*

1716	LUDWIGSBURG
	Wilhelmus Rex
	1816—1824 / *rot, gold*

1717	LONGTON HALL
1718	W. Littler
	1751—1753 / *blau*

1719 **1720** **1721**		ZÜRICH S. Gessner & A. Spengler 1763—1790 / *blau*
1722		ZELL-HARMERSBACH G. Schmider 1820—1840 / *gedruckt*
1723		REHAU Zeh, Scherzer & Co. 1880—1930 / *gedruckt*
1724		REHAU Zeh, Scherzer & Co. nach 1880 / *gedruckt*
1725		REHAU Zeh, Scherzer & Co. nach 1880 / *gedruckt*
1726		ZELL-HARMERSBACH J. F. Lenz 1846—1867 / *gedruckt*
1727 **1728**		ZELL-HARMERSBACH G. Schmider 19. Jh. / *gedruckt*
1729		ZELL-HARMERSBACH G. Schmider 19. Jh. / *gedruckt*

1730	ZELL	ZELL-HARMERSBACH J. F. Lenz 1846—1867 / *gedruckt*
1731		OBERHOHNDORF Fr. Kaestner nach 1883 / *gedruckt*
1732	J Z & Co	SELB J. Zeidler & Co. nach 1866 / *eingepreßt*
1733		SEEDORF Müller & Co. 1907 / *gedruckt*
1734		STARÁ ROLE (Alt-Rohlau) M. Zdekauer 1918—1938 / *gedruckt*
1735		ZWEIBRÜCKEN, GUTENBRUNN Christian IV. von Pfalz- Zweibrücken 1767—1775 / *blau*
1736		REHAU Zeh, Scherzer & Co. um 1880 / *gedruckt*
1737		BUDAPEST Zsolnay nach 1862 / *gedruckt*

1738	BUDAPEST
	Zsolnay
	nach 1862 / *gedruckt*

1739	SANKT PETERSBURG
	Zaristische Manufaktur,
	Alexander I.
	1801—1825 / *blau*

1740	SANKT PETERSBURG
	Zaristische Manufaktur,
	Alexander II.
	1855—1881 / *blau*

1741	SANKT PETERSBURG
	Zaristische Manufaktur,
	Alexander III.
	1881—1891 / *blau*

1742	BACHTEJEWO
	Graf Aksenowitsch
	19. Jh. / *blau*

1743	WOLOKITINO
	A. Miklaszewski
	1820—1864 / *blau*

1744	MOSKAU, GORBUNOWO
	A. Popow
	1830—1872 / *blau*

1745	MOSKAU, GORBUNOWO
	A. Popow
	1830—1872 / *blau*

1746	ARCHANGELSK
	Fürst Jusupow
	1827 / *blau*

1747	ARCHANGELSK
	Fürst Jusupow
	1831 / *blau*

1748		BARANÓWKA F. Mezer 1828 / *blau*
1749		BARANÓWKA F. Mezer 1826 / *blau*
1750	Б	SANKT PETERSBURG S. Batenin 1812—1832 / *blau*
1751		BARANÓWKA M. Gripari nach 1895 / *eingepreßt*
1752		FRJASINO Gebr. Barmin 1810—1850 / *blau*
1753	Барминыхъ	FRJASINO Gebr. Barmin 1810—1850 / *gedruckt*
1754		FRJASINO Gebr. Barmin 1810—1850 / *gedruckt*
1755	САФРОНОВА С	MOSKAU-NAROTKAJA Safronow 1830—1840 / *blau*
1756	СЗКБ ф	SANKT PETERSBURG S. Batenin 1812—1832 / *blau*

1757		BUDY M. S. Kusnezow 1887 / *blau, gedruckt*
1758		NOWOCHARITINO T. J. Kusnezow nach 1800 / *blau*
1759 **1760**		SANKT PETERSBURG Zaristische Manufaktur, Katharina die Große 1762—1796 / *blau*
1761		SANKT PETERSBURG Katharina die Große — Hofporzellan 1762—1796 / *blau*
1762		RJASAN (Moskau) J. Gulyn 1830—1850 / *blau*
1763		WERBILIKI F. Gardner nach 1787 / *blau*
1764 **1765**		WERBILIKI F. Gardner nach 1787 / *blau*
1766	ГАРДНЕРZ	WERBILIKI F. Gardner nach 1787 / *blau, eingepreßt*

1767 1768	Г д	WERBILIKI F. Gardner nach 1787 / *blau, eingepreßt*
1769	бо	HORODNICA (Gorodnitza) W. Rulikowski 1856—1880 / *rot*
1770	Городница	HORODNICA (Gorodnitza) W. Rulikowski 1856—1880 / *rot*
1771	Городница·	HORODNICA (Gorodnitza) W. Rulikowski 1856—1880 / *rot*
1772	Городница	HORODNICA (Gorodnitza) W. Rulikowski 1856—1880 / *rot*
1773	ГИНТЕ ЬР·Ко	MOSKAU T. Gunther & Co. 1818—1876 / *gedruckt*
1774	Корецъ Ф Компаныьна	KORZEC Fr. Mezer Anf. 19. Jh. / *rot*
1775	Корецъ Korzec 30	KORZEC Fr. Mezer Anf. 19. Jh. / *rot*
1776		SANKT PETERSBURG S. W. Kornilow 1835—1885 / *gedruckt*

1777 1778		**NOWOCHARITINO** Gebr. Kusnezow Anf. 19. Jh. / *gedruckt*
1779		**DULEWO** S. T. Kusnezow 1832 bis 2. Hälfte 19. Jh. / *gedruckt*
1780		**DULEWO** S. T. Kusnezow nach 1889 / *gedruckt*
1781 1782		**DULEWO** S. T. Kusnezow 1832 bis 2. Hälfte 19. Jh. / *gedruckt*
1783		**RIGA** M. S. Kusnezow 1842 / *gedruckt*
1784		**RIGA** M. S. Kusnezow 2. Hälfte 19. Jh. / *gedruckt*
1785		**RIGA** M. S. Kusnezow Anf. 20. Jh. / *gedruckt*
1786 1787		**WOLCHOW** I. E. Kusnezow 1878 / *gedruckt*
1788		**BUDY** M. S. Kusnezow 1882 / *gedruckt*

1789	ФАБРИКИ М.С.КУЗНЕЦОВА ТВЕР ГУБЕР.	WERBILIKI (Twer) M. S. Kusnezow 1891 / *gedruckt*
1790	с.г.к. МОРЬЕ П.I.	MORJE C. Golenitschew-Kutusow 1847—1887 / *blau*
1791		SANKT PETERSBURG Zaristische Manufaktur, Nikolaus II. 1891—1917 / *blau*
1792	Ӕ Ӕ	SPASSK (Moskau) D. Nasonow 1811—1813 / *blau*
1793	БРАТЬЕВЪ НОВЫХЪ	MOSKAU Gebr. Nowoy 1820—1840 / *gedruckt*
1794	П.	SANKT PETERSBURG Zaristische Manufaktur, Paul I. 1796—1801 / *blau*
1795	П П:К:	SANKT PETERSBURG Paul I. — Hofgeschirr 1796—1801 / *blau*
1796	АП	MOSKAU, GORBUNOWO A. Popow 1800—1872 / *blau*
1797	ПОПОВЫ	MOSKAU, GORBUNOWO A. Popow 1800—1872 / *blau*

1798		**WOLOKITINO** A. Miklaszewski 1820—1826 / *blau*
1799	HX	**KUSJAEFF** N. Chrapunoff 1820—1840 / *blau*
1800		**LENINGRAD** Werk M. W. Lomonosow 1917 / *blau*
1801		**LENINGRAD** Werk M. W. Lomonosow 1917 / *blau*
1802		**CHINESISCHES PORZELLAN** A. Regierungsmarken (nien-hao) Hergestellt in den Jahren der Regierung Hung-wu 1368—1399 / *blau*
1803		Hung-wu 1368—1399 / *blau*
1804		Hergestellt in den Jahren der Regierung Yung-lo 1403—1425 / *blau*

1805

Yung-lo
1403—1425 / *blau*

1806

Hergestellt in den Jahren
der Regierung Yung-lo
1403—1425 / *gedruckt*

1807

Hergestellt in den Jahren
der Regierung Hsüan-tê
der großen Ming-Dynastie
1426—1436 / *blau*

1808

Hsüan-tê
1426—1436 / *blau*

1809

Hergestellt in den Jahren
der Regierung Hsüan-tê
der großen Ming-Dynastie
1426—1436 / *gedruckt*

1810

化年製 大明成化

Hergestellt in den Jahren
der Regierung Ch'êng-hua
1465—1488 / *blau*

1811

成 化

Ch'êng-hua
1465—1488 / *blau*

1812

年製 成化

Hergestellt in den Jahren
der Regierung Ch'êng-hua
1465—1488 / *blau*

1813

Hergestellt in den Jahren
der Regierung Ch'êng-hua
1465—1488 / *gedruckt*

1814

治年製 大明弘

Hergestellt in den Jahren
der Regierung Hung-chih
der großen Ming-Dynastie
1488—1505 / *blau*

1815

弘治

Hung-chih
1488—1505 / *blau*

1816

大明正
德年製

Hergestellt in den Jahren
der Regierung Chêng-tê
der großen Ming-Dynastie
1506—1522 / *blau*

1817

正德

Chêng-tê
1506—1522 / *blau*

1818

大明嘉
靖年製

Hergestellt in den Jahren
der Regierung Chia-ch'ing
der großen Ming-Dynastie
1522—1567 / *blau*

1819

嘉靖

Chia-ch'ing
1522—1567 / *blau*

1820

大明隆
慶年製

Hergestellt in den Jahren
der Regierung Lung-ch'ing
der großen Ming-Dynastie
1567—1573 / *blau*

1821

隆慶

Lung-ch'ing
1567—1573 / *blau*

1822

曆年製 大明萬

Hergestellt in den Jahren
der Regierung Wan-li der großen
Ming-Dynastie
1573—1620 / *blau*

1823

萬曆

Wan-li
1573—1620 / *blau*

1824

啟年製 大明天

Hergestellt in den Jahren
der Regierung T'ien-ch'i
der großen Ming-Dynastie
1621—1628 / *blau*

1825

年製 崇楨

Hergestellt in den Jahren
der Regierung Ch'ung-chên
1628—1643 / *blau*

1826

大清順治年製

Hergestellt in den Jahren
der Regierung Shun-chih
der großen Ch'ing-Dynastie
1644—1662 / *blau*

1827

Shun-chih
1644—1662 / *blau*

1828

順治

Hergestellt in den Jahren
der Regierung Shun-chih
der großen Ch'ing-Dynastie
1644—1662 / *gedruckt*

1829

Shun-chih
1644—1662 / *kalligr.*

1830

大清康熙年製

Hergestellt in den Jahren
der Regierung K'ang-hsi
der großen Ch'ing-Dynastie
1662—1723 / *blau*

1831

K'ang-hsi
1662—1723 / *blau*

1832

Hergestellt in den Jahren
der Regierung K'ang-hsi
der großen Ch'ing-Dynastie
1662—1723 / *gedruckt*

1833

K'ang-hsi
1662—1723 / *kalligr.*

1834 大清雍正年製

Hergestellt in den Jahren
der Regierung Yung-chêng
der großen Ch'ing-Dynastie
1723—1736 / *blau*

1835 雍正

Yung-chêng
1723—1736 / *blau*

1836

Hergestellt in den Jahren
der Regierung Yung-chêng
der großen Ch'ing-Dynastie
1723—1736 / *gedruckt*

1837

Yung-chêng
1723—1736 / *kalligr.*

1838	隆年製 大清乾	Hergestellt in den Jahren der Regierung Ch'ien-lung der großen Ch'ing-Dynastie 1736—1796 / *blau*
1839	乾隆	Ch'ien-lung 1736—1796 / *blau*
1840		Hergestellt in den Jahren der Regierung Ch'ien-lung der großen Ch'ing-Dynastie 1736—1796 / *gedruckt*
1841	乾隆	Ch'ien-lung 1736—1796 / *kalligr.*
1842	年製 嘉慶	Hergestellt in den Jahren der Regierung Chia-ch'ing 1796—1821 / *blau*
1843	 嘉慶	Chia-ch'ing 1796—1821 / *blau*

| 1844 | | Hergestellt in den Jahren der Regierung Chia-ch'ing der großen Ch'ing-Dynastie 1796—1821 / *gedruckt* |

| 1845 | | Chia-ch'ing 1796—1821 / *kalligr.* |

| 1846 | 大清道
光年製 | Hergestellt in den Jahren der Regierung Tao-kuang der großen Ch'ing-Dynastie 1821—1851 / *blau* |

| 1847 | | Tao-kuang 1821—1851 / *blau* |

| 1848 |  | Hergestellt in den Jahren der Regierung Tao-kuang der großen Ch'ing-Dynastie 1821—1851 / *gedruckt* |

| 1849 | | Tao-kuang 1821—1851 / *kalligr.* |

| 1850 | 豐年製 大清咸 | Hergestellt in den Jahren der Regierung Hsien-fêng der großen Ch'ing-Dynastie 1851—1862 / *blau* |

| 1851 | | Hsien-fêng 1851—1862 / *blau* |

| 1852 | | Hergestellt in den Jahren der Regierung Hsien-fêng der großen Ch'ing-Dynastie 1851—1862 / *gedruckt* |

| 1853 |  | Hsien-fêng 1851—1862 / *kalligr.* |

| 1854 | 治年製 大清同 | Hergestellt in den Jahren der Regierung T'ung-chih der großen Ch'ing-Dynastie 1862—1875 / *blau* |

| 1855 | | T'ung-chih 1862—1875 / *blau* |

1856

Hergestellt in den Jahren
der Regierung T'ung-chih
der großen Ch'ing-Dynastie
1862—1875 / *gedruckt*

1857

T'ung-chih
1862—1875 / *kalligr.*

1858

Hergestellt in den Jahren
der Regierung Kuang-hsü
der großen Ch'ing-Dynastie
1875—1908 / *blau*

1859

Kuang-hsü
1875—1908 / *blau*

1860

Hergestellt in den Jahren
der Regierung Kuang-hsü
der großen Ch'ing-Dynastie
1875—1908 / *gedruckt*

1861

Kuang-hsü
1875—1908 / *kalligr.*

1862	罔 之 珍	奇 石 寶	Juwel unter wertvollem Geschirr aus Edelsteinen
1863	罔 之 珍	奇 玉 宝	Juwel unter wertvollem Geschirr aus Nephrit
1864	倣 古 製	景 濂 堂	Hergestellt auf althergebrachte Art in der Halle Ching-lien
1865	堂 製	益 右	Hergestellt in der Halle I-yü
1866		仁 和 館.	Jên-ho-kuan nach 1000, Dynastie Sung
1867		樞 府	Shu-fu 2. Hälfte 13. Jh., Dynastie Yüan

1868

佳器 玉堂

Schönes Gefäß aus der Nephrit-Halle
nach 1606
Dynastie Ming

1869

Hergestellt in der Halle Tê-hsing
1573—1620
Dynastie Ming

1870

Hergestellt in der Provinz Fu-kien

1871

堂製 慎德

Hergestellt in der Halle Ch'ên-tê
1573—1620

1872

Hergestellt im Pavillon Chih-lan
17. Jh.

1873

玉堂製 聚順美

Hergestellt in der Halle
des schönen Nephrits
in Chü-shun
Ende 17. Jh.

1874	堂 林 製 玉	Hergestellt in der Halle Lin-yü 1662—1722
1875	堂 玉 製 海	Hergestellt in der Halle Yü-hai Anf. 18. Jh.
1876		Hergestellt in der Halle Yu-yü Anf. 19. Jh.
1877	堂 奇 製 玉	Hergestellt in der Halle des wertvollen Nephrits Anf. 18. Jh.
1878		Hergestellt in der Halle Yü-hai 1662—1722
1879	堂 養 製 和	Hergestellt in der Halle Yang-ho 1723—1735

1880		Hergestellt im Pavillon Tan-ning-chai 1736—1795
1881		Hergestellt in der Halle Ching-wei 1736—1795
1882		Hergestellt in der Halle Ts'ai-jun 1723—1735
1883		Hergestellt in der Halle Ts'ai-hsiu 1821—1850
1884		Hergestellt in der Halle der großen Bäume 1821—1850
1885		Hergestellt auf althergebrachte Art in der Halle Shên-tê 1820—1850

| 1886 | 蓉漪堂 | Hergestellt in der Halle Lü-i
18.—19. Jh. |
| 1887 | 大雅齋 | Hergestellt im Pavillon
Ta ya-chai
um 1900 |

1888	張家造	Chang-chia nach 1600
1889	壺隱道人	Taoist Hu-yin um 1600
1890	王壽眠	Wang Shou-ming nach 1600
1891	建中靖國年製	Hergestellt unter der neuen Landesverwaltung 1573

1892	隼金式製　天啟乙丑	Chin-shih. Hergestellt im Jahre I-ch'ou der Regierung T'ien-ch'i 1597
1893	陳又休塑　萬曆丁酉	Ch'en-wen-Cheng im Jahre Ting-yu der Regierung Wan-li 17. Jh.
1894	山人陳律	Ch'en-te 17. Jh. Eremit
1895	尚圭系	Shang-su 1735—1795
1896	民坤泰	Chung-Familie 13. Jh.
1897	治茹　陳囹	Ch'en-kuo 1662—1722

1898	Yüan Hsin-hsing 19. Jh.
1899	Kung Yüan-chi um 1700
1900	Ch'en T'ien-sui 1662—1722
1901	Hergestellt von Sheng-hao am letzten Tag des vierten Tages im dritten Jahr der Regierung Chia-ch'ing 1798
1902	Pai-shih um 1724

1903		Hergestellt von Chiang Ming-hao 1662—1722
1904		Chao-ch'in Anf. 18. Jh.
1905		Lai 1662—1722
1906		Hergestellt von Liang-chi im Jahre wu-chên 1808
1907		Hergestellt von Chiang Ming-hao Anf. 18. Jh.
1908		Li-Chên-fa Anf. 19. Jh.
1909		Hergestellt von Wang Tso-t'ing um 1800

1910		Lai-kuan 17. Jh.
1911		Yü-chai um 1725
1912		Li-chih 18. Jh.
1913		Hergestellt von Wang Ping-jun Anf. 19. Jh.

D. Symbolische Marken

Die acht Kostbarkeiten:

1914		Perle
1915		Münze
1916		Raute
1917		Spiegel

1918  Musikinstrument

1919  Zwei Bücher

1920 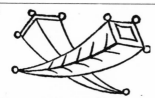 Zwei Hörner des Nashornes
(Trinkgefäße)

1921  Artemisia-Blatt

*Die acht buddhistischen
Symbole:*

1922  Glocke

1923  Muschel
(Symbol des erfolgreichen
Tages)

1924  Regenschirm

1925		Baldachin
1926		Lotosblüte
1927		Vase
1928		Fische (Symbol der guten Ehe)
1929		Knoten (symbol des langen Lebens)
		E. Andere Symbole:
1930		Hase (Symbol des langen Lebens)
1931		Schreibgeräte (Symbol der Gelehrsamkeit)
1932		Muschel (Symbol des erfolgreichen Tages)

1933  Blatt

1934  Blatt (eine andere Blattform)

1935  Pilz

1936   Pilz (eine andere Form)

1937   Pfirsich und Fledermaus
(Symbol des Glücks)

1938  Musikinstrument

1939  Achtblättrige Blüte

1940  Fünfblättrige Blüte

1941 Knospe

1942 Vierblättrige Blüte

JAPANISCHES PORZELLAN

1943

吳祥瑞造　五良大甫

ARITA (Provinz Hizen)
Gorodayu Go Shonzui
nach 1510

1944

五良大甫所製　倣余祖先祥瑞

ARITA (Provinz Hizen)
Shonzui Gorodayu
(Nachahmung)
19. Jh.

1945

ARITA (Provinz Hizen)
Inschrift: Reichtum, Ehre
und steter Frühling
19. Jh.

1946

ARITA (Provinz Hizen)
Inschrift: Juwel unserer
wertvollen Gefäße
19. Jh.

1947

ARITA (Provinz Hizen)
Ya (Zeichen für „elegant")
19. Jh.

1948

ARITA (Provinz Hizen)
Ho (Zeichen für „wertvoll")
19. Jh.

1949

ARITA (Provinz Hizen)
Fu ku (Zeichen des Glücks)
19. Jh.

1950

ARITA (Provinz Hizen)
Kin (Zeichen des Goldes)
19. Jh.

1951

ARITA (Provinz Hizen)
Ka (Zeichen des Wohls)
19. Jh.

1952	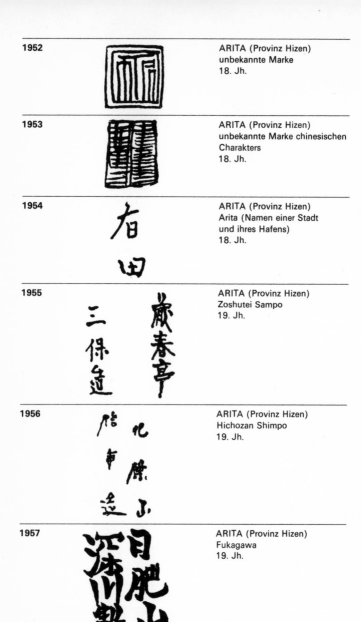	ARITA (Provinz Hizen) unbekannte Marke 18. Jh.
1953		ARITA (Provinz Hizen) unbekannte Marke chinesischen Charakters 18. Jh.
1954		ARITA (Provinz Hizen) Arita (Namen einer Stadt und ihres Hafens) 18. Jh.
1955		ARITA (Provinz Hizen) Zoshutei Sampo 19. Jh.
1956		ARITA (Provinz Hizen) Hichozan Shimpo 19. Jh.
1957		ARITA (Provinz Hizen) Fukagawa 19. Jh.

1958		HIRADO (Provinz Hizen) Mikahawacha (Manufaktur) 19. Jh.
1959		HIRADO (Provinz Hizen) hergestellt in Hirado 19. Jh.
1960		NABESHIMA (Provinz Hizen) Nachahmung alten Porzellans aus Nabeshima 19. Jh.
1961		KAMEYAMA (Provinz Hizen) hergestellt in Kameyama 1. Hälfte 19. Jh.
1962		KUTANI (Provinz Kaga) Dosuku (Zeichen für „wertvoll") 18. Jh.
1963		KUTANI (Provinz Kaga) Bezeichnung: Kutani 19. Jh.
1964		KUTANI (Provinz Kaga) Fu ku (Glück) 19. Jh.
1965		KUTANI (Provinz Kaga) Fu ku (Glück) 19. Jh.

1966

KUTANI (Provinz Kaga)
Sei (hergestellt in Kutani)
19. Jh.

1967

KUTANI (Provinz Kaga)
Marke des Erzeugungsortes
19. Jh.

1968

KUTANI (Provinz Kaga)
Fu ku (Glück)
19. Jh.

1969

KUTANI (Provinz Kaga)
Fu ku (Glück)
19. Jh.

1970

大日本
九谷造

KUTANI (Provinz Kaga)
hergestellt in Kutani im Großen
Japan
19. Jh.

1971

KUTANI (Provinz Kaga)
Tozan (Marke der benützten
Erde)
19. Jh.

1972

KUTANI (Provinz Kaga)
Ohi (Marke der Manufaktur)
19. Jh.

1973

KUTANI (Provinz Kaga)
Shiozo (Töpfer)
19. Jh.

1974

KUTANI (Provinz Kaga)
Fu ku (Glück)
20. Jh.

1975

KUTANI (Provinz Kaga)
Tozan (Marke der benützten
Erde)
19. Jh.

1976	大日本九谷製 久錦画讕	KUTANI (Provinz Kaga) hergestellt von Yeiraku in Kutani 19. Jh.
1977	永樂並 　愁九谷	KUTANI (Provinz Kaga) hergestellt von Kioruku im Großen Japan 19. Jh.
1978	九谷造 　大日本	KUTANI (Provinz Kaga) hergestellt in Kutani im Großen Japan 19. Jh.
1979	綿野製 　景德園	KUTANI (Provinz Kaga) Kichii Watano 20. Jh.
1980	姫路製	HIMEJI (Provinz Harima) hergestellt in Himeji um 1826

1981	播陽 東山	HIMEJI (Provinz Harima) hergestellt aus der Erde Tozan 20. Jh.
1982	橋本吴	SAKURAI (Provinz Setsu) Marke des Erzeugungsortes 19. Jh.
1983	吉向	OSAKA (Provinz Setsu) Kichiko (Töpfer) 19. Jh.
1984	可樂	KOBE (Provinz Setsu) Marke des Erzeugungsortes 19. Jh.
1985	京都	KYOTO (Provinz Yamashiro) Marke des Erzeugungsortes 19. Jh.
1986		KYOTO (Provinz Yamashiro) Rokubei (Töpfer) Anf. 19. Jh.

1987

YEIRAKU (Provinz Yamashiro)
hergestellt in Yeiraku
Anf. 19. Jh.

1988

YEIRAKU (Provinz Yamashiro)
Marke des Erzeugungsortes
19. Jh.

1989

YEIRAKU (Provinz Yamashiro)
Marke des Erzeugungsortes
19. Jh.

1990

YEIRAKU (Provinz Yamashiro)
Marke des Erzeugungsortes
19. Jh.

1991

RANTEI (Provinz Yamashiro)
Reines Juwel aus Rantei
19. Jh.

1992

RANTEI (Provinz Yamashiro)
Marke des Erzeugungsortes
19. Jh.

1993	亀毛 書之	KYOTO (Provinz Yamashiro) hergestellt von Kisui Ende 19. Jh.
1994	偕樂 園製	KYOTO (Provinz Yamashiro) hergestellt von Kisui Ende 19. Jh.
1995	三樂 園製	KYOTO (Provinz Yamashiro) hergestellt von Kisui Ende 19. Jh.
1996	孔園造	KYOTO (Provinz Yamashiro) hergestellt von Kiyen 19. Jh.
1997	香齋製 大日本	KYOTO (Provinz Yamashiro) hergestellt von Kosai um 1856
1998	香齋	KYOTO (Provinz Yamashiro) hergestellt von Kosai um 1850
1999	清風造 大日本	KYOTO (Provinz Yamashiro) hergestellt von Seifu 19. Jh.

2000		KYOTO (Provinz Yamashiro) hergestellt von Seifu 19. Jh.
2001		KYOTO (Provinz Yamashiro) Ogari Shuhei (Töpfer) um 1800
2002		KYOTO (Provinz Yamashiro) hergestellt von Sahei 19. Jh.
2003		KYOTO (Provinz Yamashiro) sorgfältig hergestellt von Kanzan 19. Jh.
2004		KYOTO (Provinz Yamashiro) Kenzan (Töpfer) 19. Jh. / *braun*
2005		KYOTO (Provinz Yamashiro) Makuzu Kozan (Töpfer) 2. Hälfte 19. Jh.
2006		KYOTO (Provinz Yamashiro) hergestellt in Gyokusei 19. Jh.

2007		OTOKOYAMA (Provinz Kii) hergestellt in Otokoyama 1848
2008		KOTO (Provinz Omi) Marke des Erzeugungsortes 1830—1860
2009		KOTO (Provinz Omi) Meiho (Töpfer) 19. Jh.
2010		OVARI (Provinz Ovari) Marke des Erzeugungsortes 19. Jh.
2011		SETO (Provinz Ovari) Marke des Erzeugungsortes 19. Jh.
2012		SETO (Provinz Ovari) hergestellt in Seto im Großen Japan 19. Jh.

2013

加藤勘四郎

SETO (Provinz Ovari)
Kato Kanshiro (Töpferfamilie)
19. Jh.

2014

川本枡吉

SETO (Provinz Ovari)
Kawamoto Masakichi (Töpferfamilie)
19. Jh.

2015

羊个製 大日本

SETO (Provinz Ovari)
hergestellt von Hansuke
im Großen Japan
19. Jh.

2016

SETO (Provinz Ovari)
Schildkröte, als Marke des
örtlichen Porzellans
19.—20. Jh.

2017 	NAGOYA (Provinz Ovari) Kaisha (Unternehmen zur Erzeugung von emailliertem Porzellan) 20. Jh.
2018	NAGOYA (Provinz Ovari) Marke des Erzeugungsortes 19. Jh.
2019 陶玉園製	TOGYOKU (Provinz Mino) hergestellt in Togyoku 19. Jh.
2020 日本美濃國 加藤五輔製	TOGYOKU (Provinz Mino) hergestellt von Kato Gosuke in der Provinz Mino 19. Jh.

2021	賀 集 三 平　日 本 淡 路	SAMPEI (Provinz Awaji) Kashu Sampei (Marke des Erzeugungsortes) Ende 19. Jh.
2022		SATSUMA (Provinz Satsuma) Hoju (Töpfer) 1780—1800
2023		SATSUMA (Provinz Satsuma) Hohei (Töpfer) 1820—1840
2024		SATSUMA (Provinz Satsuma) Seikozan (Töpfer) 1830
2025		SATSUMA (Provinz Satsuma) Marke des Erzeugungsortes 19. Jh.
2026		SATSUMA (Provinz Satsuma) Hoyu (Töpfer) um 1840
2027		SATSUMA (Provinz Satsuma) Hoko oder Yoshimitzu 1860

2028	SATSUMA (Provinz Satsuma) Marke der Provinz 19. Jh.

2029	SATSUMA (Provinz Satsuma) Same (der Haut des Hais ähnelnde Glasur) um 1888

2030	SATSUMA (Provinz Satsuma) Bekko (Glasur auf Art von Schildkrot) um 1840

2031	SATSUMA (Provinz Satsuma) Satsu Sei (hergestellt in Satsuma) 19. Jh.

**Europäische Nachahmungen
von Marken ostasiatischen
Porzellans
u. a.**

2032	MEISSEN Drache 1723—1733 / *blau*

2033	MEISSEN Yi-hsing auf Böttgerschem Steingut 1710—1720 / *blau*

2034 2035	MEISSEN Porzellanmanufaktur 1721—1731 / *blau*

2036
2037

MEISSEN
Drache
1723—1733 / *blau*

2038
2039

MEISSEN
Merkurstab
1721—1722 / *blau*

2040
2041

BOW
Th. Frye
1755—1760 / *blau*

2042
2043

DERBY
W. Duesbury
1770—1800 / *blau*

2044

DERBY
W. Duesbury
1770—1800 / *blau*

2045

CHELSEA
N. Sprimont & Ch. Gouyn
1745—1752 / *blau*

2046

CAUGHLEY
Th. Turner (sog. verkleidete
Zahlen)
1783—1799 / *blau*

2047
2048
2049

CAUGHLEY
Th. Turner
1783—1799 / *blau*

2050		CAUGHLEY Th. Turner 1783—1799 / *blau*
2052		CAUGHLEY Th. Turner 1783—1799 / *blau, rot*
2053		WORCESTER 1755—1790 / *blau, rot*
2054		PLYMOUTH W. Cookworthy 1768—1770 / *blau, rot, golden eingeritzt*
2055		STOKE-ON-TRENT Th. Minton von 1821 / *blau*
2056		RÖRSTRAND Haancho nach 1884 / *gedruckt*
2057		MITTERTEICH J. Riber & Co. nach 1888 / *gedruckt*
2058		ANSBACH Markgräfliche Porzellanmanufaktur 1757—1790 / *blau*
2059		VOLKSTEDT-RUDOLSTADT R. Eckert & Co. nach 1895 / *gedruckt*

2060

TRNOVANY (Turn)
Riessner & Kessel
nach 1892 / *gedruckt*

2061

STARÁ ROLE (Alt-Rohlau)
Porzellanfabrik Viktoria A. G.
nach 1883 / *gedruckt*

LITERATURNACHWEIS

Blacker, J. F.: Chats on Oriental China, London 1908

Brunet, M.: Les marques de Sèvres, Paris 1953

Burton, W.—Hobson, R. L.: Handbook of Marks on Pottery and Porcelain, London 1909

Chaffers, W.: Collector's Hand-book of Marks and Monograms on Pottery and Porcelain, III. Ausg., London 1952

Chrósciski, L.: Porcelana — znaki wytwórni europejskich, Warszawa 1974

Cushion, J. P.—Honey, W. B.: Handbook of Pottery and Porcelain Marks, London 1956

Danckert, L.: Handbuch des europäischen Porzellans, München 1957

Godden, Geofrey A.: Encyclopaedia of British Pottery and Porcelain Marks, London 1964

Graesse, J. G.—Jaennicke, E.: Vollständiges Verzeichnis der auf älterem und neuem Porzellan, Steingut usw. befindlichen Marken. Letzte Neubearbeitung von A. u. L. Behse, 22. Ausg., Braunschweig 1967

Jedding, H.: Europäisches Porzellan, I. Teil, München 1971

Kovel, R. M.—Terry, H.: Dictionary of Marks. Pottery and Porcelain, New York 1953

Lukomsky, G.: Russisches Porzellan 1744—1923, Berlin 1924

Penkala, M.: European Porcelain. A Handbook for the Collector, London 1947

Poche, E.: Böhmisches Porzellan, Prag 1956
Rückert, R.: Meißner Porzellan 1710—1810. Katalog der Ausstellung, München 1966

Schönberger, A.: Deutsches Porzellan, München 1949

Swinarski, M.—Chroscicki, L.: Znaki Porcelany Europejskiej i Polskiej Ceramiki, Poznań 1949

Thorn, C. Jordan: Handbook of Old Pottery and Porcelain Marks, New York 1947

NAMENREGISTER

240

248

ORTSREGISTER

250

VERZEICHNIS
DER ABKÜRZUNGEN

A	— Österreich	H	— Ungarn
B	— Belgien	IRL	— Irland
CH	— Schweiz	I	— Italien
CS	— Tschechoslowakei	J	— Japan
DK	— Dänemark	L	— Luxemburg
E	— Spanien	NL	— Niederlande
F	— Frankreich	P	— Portugal
GB	— Großbritannien	PL	— Polen
D	— Bundesrepublik	R	— Rumänien
	Deutschland	S	— Schweden
DDR	— Deutsche	SF	— Finnland
	Demokratische	SU	— Sowjetunion
	Republik	YU	— Jugoslawien